숨

숨 _서용좌 장편소설

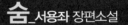

문학들

인사

내 이름은 나남이, 인사드립니다.

이 책의 주인공이자 화자이지만, 우리나라에서 흔하디흔한 58년 개띠에다 개인적으로도 특징 없음이 특징인 사람입니다. 하지만 세상에는 특징 없는 사람들이 더 많다는 이상한 위안 속에서, 감히 시작의 말을 합니다. 드라마는 아니지만 굳이 이야기의 시공간을 밝히자면, 탄핵의 봄에서 시작하여 이태 동안 어느 지방 도시를 중심으로 합니다.

살면서 말하기가 어려웠기에 글로 말하기 역시 어렵겠지만, 내 이야기를 코앞에서 듣는 이가 없기 때문에 그 표정을 의식하지 않을 수 있어서 조금은 수월할 것 같은 예감입니다. '항의가 아니라 비명, 부패에 반하는 비명'(캐더린 맨스필드)까진 아니더라도, 누구나 누군가에게 말을 하고 싶은 것은 숨길 수 없는 본능인가 봅니다. 시작하니까 시시콜콜 별별 이야기를 다 꺼내게 됩니다. 의미 - 그런 것은 톺아보아도 아예 없는 것이 우리에게 주어진 인생이라는 시간 아닐까요?

　다시 우리들, 전쟁의 잔상 속에서 여전한 가난 속에서도 사랑의 결실 993,628명이 나이테 하나의 세상에 나왔댔죠. 지난한 한 세월을 어떻게들 부대끼며 살아왔을까. 저는 그만큼을 짐작할 함량은 결코 못 됩니다. 그저 어정쩡히 중도탈락하지 않고 살아남아 있는 부류이지요. 변두리에서, 주제도 잘 이해하지 못한 채로. 생이라고 하는 것에 주제가 있는지도 잘 모르는 채로.

　그렇더라도 결결이 느낌은 있어 왔겠지요, 어떻든 숨을 쉬다 보니까요. 그루터기의 자투리가 되어서까지 몇백 년을 버티는 생명력을 창출하는 식물들의 네트워크에 감탄하면서, 나도 사람들 사이에서 숨쉬기를 바라는 마음으로 말해 보기로 합니다. 넋두리나 아닐까 염려도 되지만, 무엇인가가 염려를 이겨 냈을까요. 이렇게 인사를 합니다.

2020년
하필 낮에도 암울한 봄날,
어눌한 작가를 대신하여

| 차례 |

숨

인사 • 5

봄 • 9 요가교실 • 37 편지, 메피스토에게 • 63 발자국 • 87 시베
리아 아님 블라디보스토크 • 112 누수 • 139 나무 • 161 이름 • 187
모순 • 215 숨 • 241

해설 갈라지는 숨결들 한영인 • 266

봄

봄이, 또 봄이다. 해마다 돌아오는 봄이 어김없이 너무도 많이 끊임없이 돌아온다는 생각에 흠칫 놀라기도 하지만, 또 봄이고, 언제나처럼 그날도 오늘이었다.

그 오늘 우리 몇은 먼 옛날의 캠퍼스를 향한다. 숱한 죽음까지를 잉태했던 무겁고 암울한 공기를 그리워하게 될 줄은 우리 중 아무도 예감하지 못했으리라. 철없이 비겁하고 또 비겁했던 우리들 가슴속에도 내뿜고 싶었을 숨이 비명이 감추어져 있었을까? 누구는 열애 속에, 누구는 열공 속에, 또 누구는 하릴없이 멍하니 코앞만 보고 살았던 캠퍼스 라이프 – 라이프가 있었던가.

우리가 잃어버린 봄의 캠퍼스, 마지막 캠퍼스의 봄은 철없는 무서움과 철든 부끄러움이 혼재된, 다만 상실로 남은 기억뿐이었다. 철새도 아니면서 봄이면 왜 제 자리마냥 그곳을 찾는 것인지. 무엇인가를 묻어 놓고 떠난 곳도 아니고, 그저 떠밀려서 들어왔다가 떠밀려서 떠나온 곳인데도 마치 무슨 의례처럼 찾아보는 것이다.

언젠가부터 후문 근처는 수선스러우리만치 건강한 새 물결이 넘친다. 사람들이 미리 새천년의 기대를 쏟아 내던 그때, 20세기 우리들의 그나마 화려했던 시절을 확인하고 싶었을까. 아니, 다만 우연히 미선이 우리를 후문 어느 식당으로 데려간 때문이었다. 여러 어려움 속에서 간헐적인 중단에도 불구하고 학교에 일자리를 가진 미선이 우리를 부른 것이다.

우리 이번엔, 맨날 시내에서 보느니 후문에서 만날까? 식당들 많아. 차 가져올 사람은 학교 안에 두면 되고! 남이 너도 첫째 토요일이니까 괜찮지?

후문? 학교 후문이라고?

처음엔 다들 의아해 했다. 거의 놀랐다. 누구보다도 대학 시절을 굳이 끄집어내기 싫어할 미선이었다. 최악으로 식상한 패턴의 실패한 연애, 그런 것을 일깨워 주고 싶지 않을 것이니까. 그렇다고 졸업 20년 가까운 시점에서 전임이라도 되었다면 개가를 부를 터인데, 그것도 아니었다. 누구에게보다 미선에게 생은 인색하고 매정한 편이었다. 지성이면 감천! 노력 끝에 성공! 그런 교훈은 시렁에도 없었다.

왜, 마침 토요일이고, 캠퍼스도 한가할 테니 우리 모처럼 학교 구경하자. 얼마나 달라졌는지 놀랄걸.

우린 너 때문에 이미 놀라고 있어. 아무도 그렇게는 대꾸하지 않았다.

무엇엔가 조금 설렘을 안고 우리는 만났다. 후문 근처도 너무 변해서 흔히 말하는 모던한 느낌 그것이 우릴 좀 움츠러들게 했을까. 커피까지 마시고 종알대면서도 마음들은 캠퍼스에 가 있을 터였다. 누가 먼저라고 할 틈도 없이 우리는 학교 안으로 발걸음을 옮겼다. 왜 이리 오랜만이었을까. 길을 건널 때부터 떨리던 발걸음이 반쯤 오픈된 후문을 넘으면서부터는 무릎까지 떨렸다.

그렇게 캠퍼스로 들어선 순간, 아니, 바로 그 순간은 아니었을 지나 몇 걸음을 훌쩍 자란 나무들 아래로 옮겼을 때 나도 모르게 큰 숨이 들이켜졌다. 가슴이 한껏 부푼다. 멈춘다. 하나, 두울, 후웃. 터지듯 내뱉는 숨, 들이켤 때 따라 들어갔을 나뭇잎 냄새들은 남았나? 수녀원 대문을 나서며 다시 옛 공기를 마주하는 자발적으로 탈락한 수녀지망생처럼, 아니, 실제로 난생 처음으로 어머니 밖에서 공기라는 것을 맛보는 갓난이처럼 큰 숨을 쉰다. 뭐야, 나에게 캠퍼스의 공기가 그리움 같은 무엇이었을까.

사실 나무들은 얼마나 자라 버렸는지 옛 모습이 전혀 아니었다. 그들은 자랄 대로 자라서 위풍당당 매력을 뽐고 있었고, 나는 왜소할 대로 왜소해져서 초라하기 이를 데 없었다. 이런 불평등한 입장에서는 사랑이라거나 하는 감정 이입이 불가능할 법도 한데, 나는 그만 나무들 아래로 빨려 들어갔다. 아, 하늘 속 나뭇잎들. 냄새를 들이켜며, 큰 숨을 쉬고, 무엇보다 가지 끝 먼 데서 들려오는 소리를 듣고.

봄이란 굳이 새싹을 보는 경이로움이 아니더라도 무엇인가 새로움이었다. 새로운 경험들, 거대한 학교를 처음 만난 것도 봄이었고, 해마다 봄이면 또 다른 집단과 조우하게 된다는 것도 터득하게 되었다. 그 자체로 이미 하나의 질서에 가까웠다. 그러니까 나이테의 시작은 봄이었다. 하지만 대학생이 되었을 때의 봄은 나에게는 현란한 수선스러움으로 각인되었다. 하나의 창에서 들어오던 공기가 온갖 방향에서 쏟아져 들어와 오히려 하나뿐인 코를 혼란시키는 현상 같았다. 숨의 길이가 들쭉날쭉, 해서 부러 깊은 숨을 들이켜곤 해야 했다. 그것이 비로소 어른으로 태어나는 시련일 거라고는 미처 몰랐다. 흔히들 예찬하는 자유라거나 또는 그 어떤 낭만과는 다른 것, 무엇보다 하루 일과가 일정하지 않은 것에 적응하기가 쉽지 않았다. 그동안은 정해진 틀 안에서 갈등을 모르고 살았나 보다. 눈을 뜨면 가볍거나 무거운 할 일들이 기다리고 있었고, 사는 것이 그런 것이라면 그렇게 살면 될 일이었다. 그러니까 쳇바퀴 인생이 별반 어렵거나 지겹지 않았다는 말이 된다. 그러다가 마주친 상당한 자유와 온갖 개성이 넘치는 대학 캠퍼스는 바보 같은 나에게는 차라리 지뢰밭이었다. 일주일을 적의하게 '조직'하는 일부터 매 순간 선택의 숙제 앞에 직면했고, 그 일주일을 받아들이기가 쉽지 않았다. 내 자유의지가 들어

간 일정임에도 소화하기가 어렵다니. 교실에 가만히 앉아 있는 학생일 때, 국어 선생님이 종소리에 맞춰서 나가시고 수학 선생님이 또 다른 종소리에 맞춰 들어오실 때의 거부감은 수동적인 상태라서 별다른 해결책이 없었다. 그냥 견디면 되는 일이었다. 그런데 이제 일주일의 수선스러움에는 내 스스로의 책임이 컸다. 생각으로만 시간표를 짜고 보니 어떤 경우는 10분의 쉬는 시간에 강의실 이동조차도 어려웠다. 그렇더라도 여전히 별 생각 말고 그 이동과 멈춤에 적응하면 될 일이었다. 하지만 일상의 부담은 좀처럼 줄지 않고 켜켜이 더부룩한 소화불량으로 남아서……. 또 그렇게 봄을, 봄을, 봄을. 봄마다 허둥대던 캠퍼스 생활을 적응하기도 전에 떠나온 지 오래, 하마 오래인데.

후문의 풍경은 늘 변하고, 이번에는 뭔가 카페 분위기의 식당이었다. 이 동네에 오면 우리는 대게 미선의 주문을 따르고 느긋하게 기다린다. 미선은 우리 각자에게 다른 음식들을 시켜 놓고는 이리저리 나누어 주느라 법석이다. 연어살 샐러드는 짙푸른 채소들과 섞여 꽃밭처럼 보이면서 상큼하고, 오리엔탈 어쩌고 하는 목살 스테이크는 매콤해서 고기를 꺼리는 성주도 거부감 없이 가져간다. 재미있다. 중국집이면 자장면이듯 이런 곳에서 스파게티가 빠지랴. 나는 한번 먹어 본 것만을 좋아하는 어린애처럼 옛날에 처음 먹었던 보통 스파게티를 고집하니까 미선은 그것도 시켰나 보다. 케첩이 듬뿍 묻은 면발을 집어 들고 입술에 묻을까 조심하려고 살짝 멈춘 순간, 저만치에서 뜬금없는 소리가 날아왔다.

파면이었어요, 파면되었다고요.
파면? 무슨 말이야?
첫 발령지 중학교에서 파면되었다고요. 사흘째 되던 날이에요.
무슨 말, 대관절 왜?
소리 나는 곳을 돌아보니 한 자리 다음 그 건너 옆자리에 서로 다른 나이로 보이는 두 여자가 있었다. 편안하게, 거의 무신경하게 보일 정도로 자연스런 차림의 둘은 식사를 거의 끝낸 모양이다.
어서 계속해 봐요. 그래서 그 다음엔? 냉택 없는 내 기다림과는 달리 둘은 말이 없었다.

쟤 좀 봐. 또 넋 나갔네.
뭐해, 스파게티 떠서 들고 뭐하냐고!
손이 굳은 거야 뭐야?
으응, 아니. 귀에…….
뭐야, 또 이명인 거야?
왜, 쟨 이명보다 더한 뭐라더라, 응, 메니에르 병으로.
그래, 쓰러지고 그랬었지?
갑자기 어지러운 것 이제 우리들에게도 낯선 증상 아냐.

원인을 모르니 예방도 못 하고.

그래, 림프액의 압력 차이로 생기다고 말하면 우리가 알아들어? 림프액이 뭐고, 그 압력 차이는 왜 생기는데?

암튼, 것도 싱겁게 먹으라는 병이라던데?

난 오이피클을 집으려다 말고 다시 귀를 먼 쪽으로 기울인다. 가까운 소리를 필터링하고 먼 데 소리를 듣는 건 가벼운 고문 같다. 숨을 완전히 멈추면 시공간이 사라지고 먼 데로 향한다. 그 통감을 나는 즐긴다. 그쪽은 좀체 말을 잇지 않는다.

말해 보라고, 웬 영문인지.

그게 첫 발령에서 두 군데로 발령이 났어요.

웬 일? 그런 일이 어떻게?

에이 참. 말 좀 끊지 말고 그냥 계속하게 두지. 내 핀잔을 들었다면 좋았겠지만 어림없다. 내 목소리는 입 안에서 삼켜지고 만다. 정말 참견했다가는 되레 큰일 당하리라. 벙어리 냉가슴으로 귀에 온 신경을 집중한다. 난 꽤 먼 소리를 듣는 장기가 있다. 헌데 오늘따라 먼 데 사냥이 잘 안되고, 들리는 건 코앞의 소리들뿐이다.

올봄엔, 어때, 다들 좀 들뜨지?

뭐가, 그날이 그날이고만.

특별한 선거잖아, 선거!

무슨 큰일이라고. 탄핵 그런 진짜 큰일은 지났잖아. 누구 아는 사람이라도 대선에?

우리 58개띠도 나왔잖아. 정인이 느닷없이 개띠 타령이다.

어, 그러고 보니 유*민이 58이라지.

그래? 거기까지 출세한 이도 있네!

대선후보만 출센가. 정치 쪽엔 꽤 많지. 그 동네 참한 김*겸, 참 추*애도 이*현도 그럴걸. 단식 위문 갔을 때 둘이 동갑이랬어.

그게 무슨 상관인데 줄줄이 꿰네.

그냥 그렇다는 말이지.

암튼 올봄도 우리부터 58개띠들 씩씩히 나가자. 완전 대량생산, 우린 시작부터 대세였다잖아. 동갑내기들이 100만이라더라.

무슨 100만까지야, 암튼 90만은 넘었다더라.

에이, 그게 그거고만. 베이비붐이라더니, 개똥벌레들, 신형원도 우리 개띠일걸.

그래, 개똥벌레들, 그땐 개똥벌레 참 흔했었는데.

그래도 우린 친구가 있잖아. 힘들어도 힘든 줄 몰랐고, 다들 그러니까 그렇게 자랐지.

무제한적 노동공급의 시대였으니까. 미선이 또 문자를 쓴다.

뭐?

농사짓는 부모님들, 쌀 한 가마에 3,000원 수준, 실제로는 상당수가 실업 상태였다는 거지.

왜, 그래도 10월짜리 라면에 넋 빼앗기면 사 주시고, 학교 보내 주시고.

그래, 중고등학교 편하게 들어갔지. 하긴 갑자기 대학 문턱에서 경쟁률 덕에 혼쭐났었던가. 우리 77학번 대학정원이 겨우 6만 5천이었던 것 알아? 것도 76들에 비해서 5천쯤 늘어났다는 게 그 정도였어.

예비고사를 29만인가 봤댔지. 경쟁률 피 터진다 했었는데.

세상에, 60만 이상이 미리 제풀에 탈락이었네, 예비고사도 안 보고.

못 보고. 탈락, 탈락, 인생은 탈락의 흑역사인가.

얘들은! 뭣 땜에 옛날이야기야. 오늘 낼이 중하지.

그렇게 말하는 미선은 옛날을 누구보다 싫어한다.

나는 오직 저 건너 쪽으로만 귀를 쟀다. 이상하다. 두 사람은 말을 끊었다. 하긴 아무 상관없는 생판 남이 생각해도 기가 막힌 사연인데, 선뜻 내뱉기야 하겠는가. 뜸을 들여야 할 거다. 둘 다 커피 잔만 들었다 놓았다 하고 있다.

파면, 파면이라니! 동명이인이었을까. 왜 그것을 묻지 않을까. 내가 아무리 궁금해 보았자 그들의 대화에 끼일 재간은 없었다. 착오가 있었으면 바로잡으면 될 일이지 웬 파면? 설마 내 안달을 느꼈는지(?) 듣고 있던 쪽이 먼저 묻는다.

왜 두 곳에 발령을 내놓고! 어디로 가면 어때서! 그래서 장학사는…….

앗, 다음 말들이 멎었다. 입술들만 보이고 소리로 전해 오지 않는다. 볼륨을 내렸을까?

얼마나 지났을까. 아예 움직임이 멎는다. 고개를 위아래로 또는 가로로 내저으며 듣고 있던 쪽이 상대가 아무 말 없자 멋쩍어서인지 그만 자리에서 일어난다. 화장실엘 가려나. 몸매가 드러난다, 예상보다 나이 들어 보인다. 곧이어 또 한 사람이 일어선다. 우리 또래일까 싶다. 어라, 카운터 쪽으로 가네.

남이 너 뭐해.

정인이가 꾹 찔렀다. 뭔데 그쪽만 흘겨보냐고!

아아니, 왜?

어쩐다고 움직임 하나하나 그쪽만 보고 있냐고. 너 그 스파게티 다 불어 터진 것 몰라.

아니 그냥.

스파게티는 네 메뉴잖아. 다른 것도 덜어 가지도 않고. 식욕 없어지고 체중 빠지면 우울증이 와. 부신기능저하증 땜에.

무슨 소리. 나 체중 안 빠져.

빠져 보여. 너, 저혈압에 저혈당 아니었어? 혹시 짜게 먹는 건 아니지?

아차 싶다. 그러고 보니 감자 한 알도 소금 없인 안 넘어간다. 소금 좋아하면 병인가. 쇠약감, 무기력증, 손톱에 거무스레한 색소도 그런 것 때문일까.

나중에 일어섰던 젊은 쪽이 먼저 돌아온다. 파면 이야기의 주인공이다. 그쪽은 화장실 간 것이 아니라 계산을 하고 온 것 같다. 가까이 오는 앞 얼굴을 보니 왠지 낯익은 느낌이다. 캠퍼스에서 보았을까? 설마, 세월이 언제 적인데. 보았더라도 변하고도 변했을 세월 아닌가. 뒤이어 먼저 갔던 사람 역시 카운터 쪽으로 가더니 이내 돌아온다.

아니, 웬 계산을? 내가 빌 가지고 갔었는데.

빌 없이도 하죠. 제가 대접해 드려야죠.

무슨 사이일까. 아까 그 이야기는 언제 계속하려나.

남이 너 아까부터 스파게티는 안 먹고 피클만 계속 먹던걸. 애 큰일 났네. 물 좀 마셔!

밥 먹다 말고 찬물을 어찌 마셔, 생맥 하나 시켜, 나눠 마시게.

미선이 벨을 누르고 서빙이 왔다 갔다 하는 사이에도 내 눈은 저쪽의 둘 사이를 오간다. 벗어 둔 옷을 집어 드는 것이 일어날 모양새다. 젊은 쪽은 모자도 있다. 어쩌나, 그 이야기의 후속을 들을 기회가 없구나. 영 없구나. 따라나설 수도 없고.

그들은 일어서고, 마침 출입문 쪽이 보이는 방향으로 앉은 나는 그들을 눈으로 좇는다. 더 나이 든 쪽이 문을 열고 틈을 내어 준다. 애프터 유~라고 하는 입술이다. 웬 영어? 상상인가. 유아 웰컴, 하면서 더 젊은 쪽이 나간다. 나가 버린다. 말의 줄기를 쥔 이가 나가 버린다.

휴우, 한숨을 짓는 나를 다들 놀란 눈으로 쳐다본다.

왜? 왜 그래?

실은 대화를 엿들었어. 엿듣다 보니 빠졌고. 그런데 이를 어째. 뒷이야기를 못 들었잖아.

우리가 자꾸 널 말려서?

아니, 들리다 말다 했어. 끝까진 안 하고 그만 나가 버리네.

그 참, 신기하다. 웬 남의 이야기에 목맬 일 있어?

목매다니, 말도 무섭게 하네.

무섭긴, 너가 웃겨서 그래.

그게 엄청…….

엄청 뭔데? 썰 풀어 봐, 중요한 건지 아닌지 보게. 나, 이래 봬도…….

미선이 말끝을 흐린다. 나, 이래 봬도 풍월이 몇 년인데, 라고 할 수 없어서인 걸 모두 안다. 죽어라 사시 뒷바라지하다가……. 그건 건드려선 안 되는 꼭지다. 다만, 남의 일이라도 절대 안 잊히는 그런 것들이 있다.

응, 그게, 졸업하고 바로 중학교로 신규 임용되어 갔는데, 사흘 만에 파면 당했다는.

뭐라고? 전교조였대?

도둑도 이르다. 무슨 발령 나자마자 전교조야. 참, 전교조는

90년 다 되어서 생긴 거잖아. 아무래도 우리 또래로 보였어.

우리 또래? 그럼 58개띠?

아니, 무슨 그런 걸 알아. 내가 점쟁인가. 그냥 또래로 보였단 말이지. 한두 번쯤 돌풍으로 부서진. 나이 들어도 온전히 넉넉하지 못하고 어딘가 스산한.

우리가 다 스산한 건 아냐. 개인차가 크지. 헌데 또래라 치고, 첫 발령이면 80년대 초 이야기네.

그럼 과외 섭외했다가? 그땐 교사가 과외하면 감옥 가고 그랬었잖아.

설마.

울 큰언니 말이니까 사실이지, 감옥 간 이야기. 울 언니 근무하던 여고에서 영어샘이 동료 딸 과외해 주다가 잡혀갔대. 딸 과외 시킨 선생님도 잡혀는 안 갔지만 해직인지 사푠지 뭐 그랬대. 조용하던 성주의 말에 다들 놀랐다.

잡혀갔음, 감옥까지 간 거야?

서슬 퍼런 세상이었네 참.

그건 다른 얘기고. 어쩌다가 사흘 만에 파면이었을까. 부임하자마자 과외란 건 말도 안 되지, 더구나 시골에서 뭔 과외가 그리 심했을라고. 대체 무슨 일이었을까.

그만하래도. 뭐 탐정 났어?

아니, 부임지 잘못 갔으면 정정해 주면 그만이지, 왜 파면이냐고. 완전 인생을 종치게. 파면이 어떤 건지 난 알거든.

뭘 알아, '주문, 피청구인 대통령 ***를 파면한다.' 그 문구 몰라? 그것보다 더 대단한 파면도 있어?

거참 어마무시한 문장이다, '피청구인 대통령 아무개를 파면한다.'

어마무시하지, 그래서 당사자는 설마 하고 있다가 막상 닥친 일일 것이고.

설마라고? 사람들은 행여 틀어질까 설마를 걱정했는데, 당사자만 설마 그리될까 방심했다고?

설마 설마 설마라더니.

파면, 누구에게나 엄청난 사건이야, 숨을 쉴 수 없는. 대통령 자리 아니라도 엄청난 건 똑같아, 파면은.

파면 – 엄청난 사건이었다. 아버지는 단 한 번의 해외여행으로 파면이 되셨다. 집안 송두리째 날벼락! 그때 해외여행은 자랑이면 자랑이었지, 불법인 줄은 몰랐었다, 아무도. 나중에야 알게 된 일이지만, 아버지랑 은행본부의 간부 몇 명이 거래처 재벌의 임직원용 5년짜리 상용복수여권을 만든 것이 죄목이었단다. 아버지는 갑작스레 너무 많은 것을 잃었다. 얼굴을, 체면을 잃은 것이 컸고, 건강을 잃은 것이 치명적이었다. 집에서도 친지들 사이에서도 도망쳤다. 혼자서 꼭두새벽에 나가시거나 오밤중에 들어오셨다.

파면은 아버지에게는 생의 끝이었다. 생의 끝은 숨의 멈춤이다. 아버지는 파면과 더불어 숨을 쉴 수 없었나 보다. 내가 결혼해서 이태쯤 되었을 때니까, 집에는 졸업을 앞둔 도희랑 어머니 아버지뿐이었다. 물론 파면이 아니더라도 누구나 숨을 쉴 수 없는 순간에 이를 것이다. 언젠가는. 그래도 아버진…….

남이야, 나남이!
엉?
뭐해 말하다 말고. 파면은 숨을 멈추게 하는 사건이라고? 그래 알아들었으니 잊어. 그거 병 된다, 생판 남의 일에.
어디서 다시 만나면 알아볼 것 같아. 난 그래, 그쪽이야 날 전혀 모르겠지만.
병 벌써 나 버렸네 뭐. 우리 무슨 얘기하다가.
으응, 알았어. 그래 소금 이야기던가? 커피에 소금을 넣는 사람도 있대.
소금이고 뭐고, 난 특별히 기피하거나 특별히 챙기는 것 없어. 먹고 싶은 것 있음 먹어야지, 더 늙으면 먹고 싶은 것도 없다고 그러시더라, 울 엄마.
우린 할미 다 돼서도 여전히 엄마 타령이구나!
그 말 알 것 같아. 맛있는 것이 점점 없어져. 정말 그래.
그래, 집에만 있음 안 돼. 운동을 좀 해 봐.
제일 좋은 건 운동보다 춤이라는데, 어디서 춤을 추나 그래.

문화센터 그런 데 있겠지. 알아볼까?

치, 남이가 가겠어? 낯을 된통 가리는 애라.

운동이 무슨 의무라고 그래. 점심 먹으러 나오는 건 운동 아닌가. 캠퍼스 걸으면 진짜 운동이겠네. 일어서자.

이상하다. 오히려 근년 들어 활기가 아닌 스산함이 대학가 거리를 메우고 있다. 앞서거니 뒤서거니 우리는 캠퍼스 안으로 들어간다. 캠퍼스는 올라가는 건물들을 빼면 이맘때면 늘 이맘때 모습이다. 물이 오른 연둣빛 잎사귀들에, 잎사귀들 사이로 비치는 가녀린 햇살들에 답답했던 마음이 사르르 녹아내린다. 저쪽으로 가자, 저기 대강당 옆 홍매화 피는 곳! 미선은 계속 우리를 채근했고, 홍매화는 지고 없을 거라는 정인의 말에도 아랑곳 않는다. 적당한 보폭을 두고 흩어져서 발길을 옮겨 본다. 개나리 진 가지들 옆으로 철쭉이 주르르 피어 있다. 드물게 흰 철쭉들도 있다 붉은 철쭉 무더기와는 달리 시원함을 준다. '스무 살 나는 5월에 태어났다.'* 아마 우리가, 내가 그랬었나. 이 봄에도 나는 진달래 철쭉에 빠진다.

잎의 생김새를 봐, 도란형라고 해. 거꿀달걀꼴, 달걀꼴 거꾸로

---

* 테라야마 슈지, 「나에게 5월을」 중에서.

란 말이지. 수술은 열 개나 되는데 암술은 하나지. 진달래도 마찬
가지야. 생물학적으로 암술이 늘 강해.

그는 생물과 복학생이었다. 청력 손실로 다소 멍한 것이 눈에
띄었다. 사격훈련 중 스스로 총기를 잘 못 다루다 생긴 일 때문이
었단다. 말을 잘 못 듣는다고 해서 옹고집은 아니고, 전체적으로
는 오히려 부드러운 인상이었다.

진달래 철쭉을 어떻게 구별해요?

뭐?

진달래 철쭉 구별! 둘 다 분홍색에, 둘 분홍색, 참꽃 개꽃 이름
만 달라……. 내가 큰 소리로 천천히 말했다.

색시 하렸는데 안 되겠네. 시골 살면서 개꽃 따 먹다 죽으면
어떻게 하나.

누가 색시 한다고!

색시 한다고? 알았어. 그럼 내 가르쳐 주지.

안 한다고요! 색시 안 해!

색시 안 해도 좋아. 가르쳐 줄게.

선배의 말로 진달래 철쭉 구별은 확연했다. 이른 봄 개나리와
함께 피어 있으면 진달래. 개나리 없는 곳에서라면 잎은 없고 꽃
만 피어 있으면 진달래. 그러니까 4월에 꽃만 피는 건 진달래, 5
월에 잎과 함께 피는 건 철쭉. 또 홑꽃이면 진달래.

홑꽃이 뭐야? 홑꽃 뭐냐고!

응, 홑꽃은 꽃잎들이 한 겹이란 말이지. 그래서 수채화 같다고

나 할까? 철쭉은 꽃잎이 여러 겹이야. 또 꽃잎에 짙은 자주색 반점들이 박혀 있어. 나리꽃에서처럼.

알 것 같아요. 알았어요!

그래 조심해. 철쭉꽃 따 먹지 말고. 색시, 죽지 말고.

누가 꽃을 따 먹는다고 그래요. 진달래도 철쭉도 안 따 먹어요. 안 따 먹는다고요!

남이 네가 화전을 몰라서 그래. 너무 예뻐서 종일 바라보고만 있다가 밤늦게 먹게 되는 화전을.

왜 밤늦게 먹는데? 왜 밤에? 왜 밤?

아침 되면 못 먹게 될까 봐서. 밤새 사라지거나.

사라져요? 사라진다고?

그런 그는 당연히 말이 적었다. 상대가 힘을 들여야 겨우 소통하는 상황을 버거워했다. 결정적으로는 그가 옳았다. 힘을 들여도 들여도 소통이 안 되는 일이 많았다. 대화의 내용이 객관성을 띤 경우에는 큰 소리로 떠들어 댈 수 있으니 좀 나았다. 진달래 철쭉은 괜찮았다. 힘든 것은 심상을 나타내야 하는 경우였다. 그래서 마음을 전달하지 못했다. 나는 소리를 질러 가면서 내 마음을 표현할 수는 없었다.

지금에 와서는 애초에 언어라는 것이 마음을 나타내는 도구가 아니라는 생각도 한다. 말로 규정하지 말고 그냥 옆에 있을 수는 없었을까. 아니, 지금 생각해도 그건 아니었다. 그건 아니다.

흐르는 세월 따라 잊혀질 그 얼굴이~ 왜 이다지 속눈썹에 또다시 떠오르나~

그 가을엔 이 슬픈 노래를 어찌 합창하면서 다녔을까. 노래는 늘 정인이 배워다 퍼뜨리곤 했었다.

오늘 나들이는 일찍 끝난다. 오늘따라 왠지 머리가 복잡하고 뭔가에 짓눌려 걸음이 느려졌고, 그러다 보니 대열이 흩어졌다. 미선이 5월의 우울증에 관해서 또는 5월의 세계적 학살들에 관해서 입을 열 기회를 잃었다. 우리 5월뿐만 아냐, 인도네시아에도 2,000명 화교가…… 그렇게 시작하면 우리 모두는 소화장애를 겪을 때까지 미선일 경청해야 한다. 경청 그것도 하지 않으면 사람이 아니기 때문이다.

아파트 안으로 들어서자 외벽에 스파이더맨 여럿이 줄에 매달려 있다. 위를 보고 걷다가 여자와 부딪힐 뻔했다. 여자는 땅에 서서 하늘을 올려다보고 있었다.

어마, 뭐래요? 뭐 하는 거예요?

세척이요. 봄에 많아라.

세척? 청소요?

예, 세척. 세척 나가고 말라야 뺑끼 발르제라!

가만 올려다보니 줄 타는 남자들은 물줄기를 쏘고 있다.

아, 아래서 보고 있는 사람이 감독이시네?

뭔 감독이라, 이 아래 차들도 덮고 청소도 하고 그래야 하는디.

그러고 보니 띄엄띄엄 주차된 차들에 비닐 커버가 덮여 있다. 무엇인가 가느다란 작은 조각들이 바람 속에 섞여 눈으로 날아드는 느낌도 든다. 그래서인지 여자는 안경과 마스크로 얼굴을 다 덮고 있다.

며칠 전 아파트 새 단장을 한다고 페인트칠 관련 공고문이 있었다. 꼬마 스티커를 붙이라는 입간판이었다. 푸르스름 계열과 누르스름 계열의 두 가지 최종 안을 이미지로 올려두고 찬성 쪽에 투표를 하랬다. 투표 천지네, 무슨 색이면 어때! 아파트 외벽이 나랑 무슨 상관이야, 내 부엌이라면 몰라도. 그랬더니 막상 오늘은 입간판이 치워지고 없다.

작은 일에도 기회를 지나쳐 버리는구나. 그런 생각이 들자, 요즈음 부쩍 시들하고 느슨해진 삶이 슬쩍 염려가 된다. 그런데 세척이 먼저라니? 내 삶도 가끔씩 새 단장을 하려면 색칠 전에 오염된 구석부터 씻어 내야 하는가? 오염된 구석, 어디부터?

문을 열면 넓은 현관이 문제다. 모델하우스 때는 현관 넓은 것이 좋은 인상을 주었다. 입주 후에는 그 넓은 공간이 창고로 변하는 데 놀랐다. 남편이 운동기구들을 놓아두기 시작하더니 심지어는 간이 쓰레기장이 되어 있다. 버리고 싶은 물건들을 내다 놓고는 몇 달이 지나도 그대로 방치해 두는 것이다.

죄다 내다 버리고 싶은 심정을 누른다. 나갈 때도 참고 들어올 때도 참는다. 착한 심성에서가 아니다. 나도 그 자리에 가 있을지도 모른다는 상상을 하기 때문이다. 남편의 마음으로는 나도 이미 그 자리에 가 있을지도 모를 일이다. 그럴 게다. 내 마음 자리에서도 남편이 들락날락하니까 안다. 내가 물건들 쌓여 있는 모양새를 참지 못하는 것쯤은 이젠 남편도 안다. 다만 못 참는 내가 과민이라는 표정이다. 사는 게 뭔데, 집이라는 것이 뭔데. 어질러지기도 하고 젖은 수건 아무 데나 던져도 되고……. 그거 못 참는 내가 외려 병이라는 눈초리. 그것 나도 안다. 하나뿐인 남편의 눈초리쯤은 안다.

일단 씻자. 집에 들어오자마자 씻는 건 누구나 한다. 하지만 내가 좀 심한 것도 안다. 나는 얼굴을 씻기 위해 세수를 하는 것이 아니라 귀를 씻기 위해서 한다. 언제부턴가 귀를 열심히 씻는 버릇이 생긴 것 같다. 뭔가를, 아주 중요한 뭔가를 귀를 잘 씻지 않아서 잘 못 들었다고 믿기 위해서. 아니면 귀를 씻어 옛날 들은 것들을 다 지우지 않으면 그 다음 새로운 말을 들을 수 없다는 듯이. 클렌징을 쭉 짜서 북북 문지르고 이태리타월에 또 비누를 묻혀서 문지르고…… 귓바퀴, 귓불, 귓속…….

앗, 계속이다. 귓속을 닦느라 숨을 멈췄더니 낮의 그 소리가 다시 들린다.

　그게요, 그게 첫 발령지에서 두 군데 발령이 났거든요.

　무슨 말인지…… 어떻게 그래?

　그 다음을 확실하게 들은 것 같다. 그대로 생각난다.

　글쎄요. 저야 모르죠. 지금도 몰라요. 제가 첨에 ㅂ군 ㅂ중학교로 부임을 했거든요. 마침 그곳에 옛 은사님이 계셨어요. 그래서 실은 두 군데 발령이 났는데 일단 여기로 왔다고 말했더니, 듣자마자 더 나은 ㅆ면의 ㅆ중학교로 가래요. 게서 사흘째 되는 날 파면을 당한 거죠.

　그니까 뭘 잘 못해서?

　명령불복종이랬어요. 갑자기 교장실로 불러서 갔더니 명령불복종이라고…….

　말을 잇지 못한다. 보이지는 않았지만 말소리에 물기가 섞여 배어나는 것 같았다.

　명령불복종으로 당신은 이 시간부로 파면이요. 그러니 교무실로 소지품도 가지러 가지 말고 그대로 현관으로 나가서 이 학교 근처에 얼씬도 말라, 그런 말이었죠.

　다시 말을 멈춘다. 손이 얼굴 쪽으로 올라가는 것을 본 것 같다. 눈물을 훔쳤을지도 모르겠다. 듣고 있던 쪽이 오히려 흥분한 것 같았다.

　그런다고 현관을 나왔어? 그냥 나와 버렸냐고? 장학사든 교육

청이든, 완전 그쪽 잘못이었잖아!

것보다 제가 걸어 나올 때, 다른 교사가 가져다준 가방 달랑 들고 빠져나올 때, 창문마다에서 내 등 뒤를 바라보던 어린 아이들의 눈빛이 얼마나 따가웠던지. 못 잊을 것 같아요. 못 잊나 봐요. 지금도 등이 따가워서 잠들지 못할 때가 있어요.

맙소사! 참 희한한 일도 있었네. 그거 소송감 아냐!

지금 시대 같음 그랬겠지요.

그래서 어찌 되었냐고! 그러니까, 그럼 교사를 했다고, 못 했다고?

나중에 들은 이야기로는 저 쫓겨난 다음 날 바로 새로 교사가 왔더래요. 그래서 저에 대한 오해가 풀렸다고요. 그러니까 진짜 낙하산이 나타났으니까요.

뭐가 그리 복잡해.

네. 여럿이 얽혔던 거죠. 하나는 원치 않은 전근, 다른 하나는 파면, 그 다음 또 새로 부임한 선생이 낙하산이었던 거죠, 아마. 요샛말로 합리적 의심!

소리들이 솟아난 거다. 소가 되새김질하듯이 소리들이 되살아 튀어나온다. 둘이서 그런 말을 하고 있었구나. 내 레이더는 원거리 소리 청취에 민감하다. 근시와 원시가 있는 것처럼 내 귀는 먼 데 소리를 더 잘 듣는다. 먼 데 소리, 옛날 소리들이 어딘가에 있다가 튀어나온다. 결정적인 한마디……

나랑 결혼해, 괜찮겠지? 그렇게 가까운 소리를 흘려들으면서 나는 나무 위 새소리를 듣고 있었다. 괜찮겠지? 너 나랑 결혼하자고! 난 정말 못 들었다. 숨이 막혀서, 오싹하게 막혀서, 나무 아래 함께 서 있었던 선배의 목소리는 잘 못 들었다. 하늘을 향해 내지르던 새소리만을 기억한다. 나뭇가지 꼭대기, 먼 데 새소리만 들었다. 새의 모습도 기억한다. 모양은 참새지만 훨씬 큰 새. 울음소리가 너무 큰 새. 울음이 아니라 말소리였겠지. 무슨 말이었을까? 청혼이었을까?

그놈들은 지금도 그런 찌익찌익 소리를 내며 아파트 하늘을 누빈다. 아까 들어올 때도 보았다. 이 철엔 전혀 돋보이지 않는 동백나무 윗가지에 앉아 있었다. 그때 그놈들의 후손이라면 몇 대째일까. 일 년에 한 번씩은 후손을 낳았겠지.

얼굴의 물기를 닦으면서 밀걸레를 찾는다. 거실 마루를 또 한 번 훔친다. 오전에 청소를 해 놓고 나갔기 때문에 걸레가 깨끗한 채로다. 약간의 물기가 지나가자 마룻바닥이 말끔해지면서 맘도 차분해진다. 그러나 거실에도 실은 서로 어울리지 않은 가구들이 눈에 띈다. 단 둘이서 사용하는 가구들이 서로 엉뚱한 것만큼 서로 소통과 이해도는 낮다. 물론 나는 괜찮다. 내게 필요한 것들이 필요한 장소에 있다. 그것이면 되었다. 신방을 꾸린 새댁도 아니고, 아이들이 먼지 풀풀 날리며 어질러 놓은 적도 없다.

오월엔 오후가 길어진다. 저녁 준비는 아직 멀었다. 텔레비전

앞에 앉아 바느질감을 집어 든다. 그이는 바느질감을 그냥 두고 일어서곤 하는 내게 늘 염려의 눈길을 보낸다. 염려인지 핀잔인지, 바늘이 걱정되는 것이다. 실제로 알바늘 하나를 집어 준 적도 있다. 나도 위험을 느끼긴 한다. 인형을 만들거나 수를 놓을 때는 실이 푸석해서 바늘귀 안에 곱게 들어가 있다. 그런데 작은 가방이나 지갑들을 만들다 보면 퀼팅실이란 놈은 동실하고 매끄러워서 바늘귀에서 빠져나가기 십상이다. 혼자 남아 도르르 굴러가 버린 바늘을 찾으려고 막대자석을 둘, 원형 자석을 하나 그렇게 두고도 잘 찾지 못할 때가 있다. 시아버지 밥에 뉘 들어간다고, 내가 못 찾던 바늘이 남편 눈에 띌 게 뭐람.

바늘은 아플리케 부분에 멎어 있다. 아플리케는 정답게 여러 모양을 표현하지만, 실을 자주 바꾸어야 하는 문제가 있다. 그래서 바늘이 여러 개 필요한 것이다. 필통인데 겉에 다섯 자루 연필 모양을 아플리케로 붙이는 중이다.

메시지 음이다. 그이가 늦는다고 알려 온다. 남편은 저녁식사에 관해 잘 알려 주는 편이다. 그래서 스스로 민주적인 사람이라고 느끼는 이유 중의 하나가 된다. 남편이 생각하는 민주적인 사람이란…….

민주주의가 뭔지 보려면 뉴스를 틀어야지. 여론조사 공표를 못 하는 깜깜한 기간이다. 그에 앞서서 마지막 결과들이 뜰 것이다. 뭐야, 상당 수위의 막말후보가 티비 토론을 잘 해서 지지율이 올랐다고? 천재 교수 출신이란 사람은 웬 자살골? 어라, 대구 3천여 명 노동자들은 후보들의 노동공약 맹공, 2020년 가서 1만 원이란 하나마나한 공약이라고. 알 수 없어. 저건 뭔가, 서울대, 서울대 총학생회 소속 학생들은 총장 퇴진과 시흥캠퍼스 실시협약 철회를……. 쟤네들은 대선 아랑곳없이 밥그릇 싸움 아냐! 강남 도로에서 부탄가스 트럭 화재, 2천여 개 가스통 연쇄 폭발…… 언제고 안전사고지. 저런, 또 크레인 사고? 50~60미터 길이 32톤 크레인, 넘어지면 어떻게 해, 다섯 명이나 사…….

밥맛 떨어지는 뉴스다. '꽃 지는 저녁에도 배는 고파라' 했던가. '꽃 지는 저녁에는 배도 고파라'였나. 누구의 시였더라? 햇반을 하나 데워서 식탁에 앉는다. 접시 하나에 김치며 두어 가지를 담고, 계란도 하나 익혀 얹었다. 다이어트 어쩌고 이유로 밥을 거르는 일은 없다. 배는 때가 되면 고파 온다. 시댁에 혼자 가곤 했을 때면 유난히 밥 챙겨 주는 데 인색했던 시어머니가 떠오른다.

집에 가서 먹어라……, 그 말을 처음 듣던 날이 안 잊힌다. 수십 년이 지나도 안 잊힌다. 남편은 미국에 나가 있던 때였다. 그땐 대학에 남을 목표가 있었을 것이다. 나는 낯선 데 가서 유학생의 아내로 머저리처럼 지내기는 싫어서 남아 있기로 했었다. 아버지가 갑자기 힘든 상황에 빠지신 것도 내가 남는 데 작용했을지 모른다. 가깝고도 먼 거리에서 살아온 동안 나도 인색한 사람으로 변했을지 겁난다.

아버지가 누구도 가 본 적 없는 해외여행을 떠날 때 그것은 온통 자랑거리였다. 다녀와서도 모두의 부러움을 샀다. 선물은 또. 어머니는 자수정 목걸이를 받아들고 너무 좋아하셨다. 어때, 남이야, 도희야, 엄만 이 보라색이 참 어울리지? 엄마 살빛이 흰 편이지? 시댁에 선물도 가짓수로는 이바지 때를 방불케 했다. 시어머니에게는 실크머플러와 영양크림, 친척 여자들에겐 립스틱 세트나 콤팩트 그런 것들을 수대로 챙겨 보냈다. 초콜릿 상자, 필통째 담긴 색연필이며 예쁜 볼펜 세트도 있었다. 나는 목이 움직이는 인형 둘을 대뜸 집었다. 도희가 볼 새라 얼른 슬쩍.

너희 아빠 자상도 하시지, 어머니의 만족한 멘트였다.

뭘 이 정도로…… 실은 돌아오는 비행기 편에서 쫙 다 산 거요. 당신이랑 새 사돈 거 머플러만 빼고. 첨엔 그것만 사고 별 생각 없었는데, 일행들이 비행기 안에서 엄청 뭘 사더라고요. 자수정 그건 진주하고 둘 중에서 망설였는데, 당신 좋아하니 좋구려. 내가 첨엔 진주를 골랐어요, 우아한 우윳빛에. 그런데 임 본부장 말이 진주는 눈물이라 해서 얼른 놓아 버렸소.

그렇게 여럿을 행복하게 했던 해외여행이 불법이었단다. 5년짜리 상용복수여권을 만든 것이 파면될 죄목이었다. 유력한 회사와 상사 임직원들에게만 엄격한 추천제로 발급되었던 상용여권을. 차별은 그때부터 더 깊어졌나 보다. 상용여권 가진 사람만 사람일 때부터. 그렇게 아버지의 파면으로 많은 것이 달라졌다. 아버지는 그 일을 이겨 내지 못하셨다. 제대로 숨을 쉴 수가 없었을 것이다. 숨을 쉬고 싶지 않으셨을까? 갑작스런 죽음이 왔다.

파면이었어요! 앗, 낮의 그 여자. 그 여자는 또 어찌 숨을 쉬고 살아왔을까. 고개를 강하게 흔들어 본다. 파면이라는 단어는 아무래도 귓속으로 다시 들여보내야 하리라. 내 숨부터 가다듬어야겠다.

봄이 와 있었고, 어느 해보다도 희망 같은 것이 뭉클한 나날이었다. 무엇인가 상큼 달큼한 화두를 꺼낼 일이다. 아카시아 향기도 곧 스멀거릴 이 좋은 날, 해마를 꼭 닫아 걸고 내일을 향해서 대문을 열자.

요가교실

요가교실이다. 하아나 두울, 하나 두울…….

주민센터의 요가 선생님은 깡마른 작은 체구에도 목청껏 단어들을 내뱉는다. 첫해에는 전혀 알아들을 수 없었던 기호들을 이젠 대충 알아듣는다. 소 – 고양이 – 소 – 고양이 – 자, 손바닥하고 무릎, 발등까지 완전히 바닥에 밀착시키고, 이제 완전 고양이 자세요, 두 팔 바닥으로 쭉 뻗고 가슴 눌러서 바닥에, 자, 이제 아기 자세로 풀고요.

이상하다. 아기 자세라고 하면 숨을 멈추고 그냥 그대로 '한하고' 있고 싶어진다. 정말 우리 모두 어머니 몸속에서 이렇게 아기 자세를 취하고 있었을까. 조그맣게 몸이 수축되면서 아주 편안함 그 자체에 파묻힌다. 숨을 멈추면 나는 먼 데로 곧잘 떠난다. 따사로운 햇살 아래 푸른 초원을 생각하면서.

따사로운 햇살 아래……를 생각하면 곧 다른 장면으로 빠져든다. 오래전에 서양 소설책에서 읽은 독특한 소녀가 떠오른다. 영성체 빵이 왜 그리 맛이 없는 마른 빵이어야 하는지를 이해 못 하는 아이, 갓 구운 빵을 탐닉하는, 그만큼 감각에 충실한 아이. 햇살 아래 초원에 온몸을 펼치고 누워서 사람들이 '무한한 행복감'이라고 하는 것을 경험한 소녀 말이다. 그것이 나중에 사람들이 오르가즘이라고 말하는 것임을 깨닫고 의아해 했던 아이, 그런 일이 남자와 여자의 교접 시에 발생하는 어떤 것이라고 가르쳐 주었을 때 고개를 갸우뚱하던 소녀 말이다. 나는 반대로 웅크려야 편하고 행복감을…….

남이 씨, 나남이 씨, 뭐하세요, 고만 일어나세요. 나남이 씨는 아기 자세만 나오면 그렇게 꼬부라져갖고 어푸러져 있으니 참 신기해요. 여기요, 회원님들, 요가 하는 동안엔 눈들 감지 마세요. 눈을 감으면…….

나는 행동이 느리다. 느린 것으로 정평 나 있다. 내가 잘 못 듣는 것을 요가반 사람들은 모른다. 주민센터에서 그것까지는 알 리 없다. 장애자 등록이 될 정도로 청력이 떨어지는 것도 아니다. 언뜻 보면 그냥 가끔씩 멍한 사람이라는 정도, 그나마 다행이다.

자아, 그대로 그 자세에서 다리 쭉 뻗어 좀 털고요, 예, 이제 누우세요. 편안하게 다리 펴고, 두 팔 올려놓고 차렷 자세요, 뒤꿈치 쭉 밀고, 밀어내고……, 양팔 옆으로, 이제 악어 자셉니다. 왼발 90도 들어 올려서…….

카톡. 카톡. 왼발을 오른쪽으로 넘기고 고개는 반대쪽으로 하다 보니 불빛이 반짝이는 것이 보인다. 눈은 그쪽으로 쏠리지만 선생님의 곁눈질을 피하려면 그냥 나중에 봐야지. 어, 카톡. 카톡. 누가 뭘 한꺼번에?

다시 차렷 자세, 이번엔 반대로. 자, 다시 완전 차렷 자세로 풀고요, 두 팔 머리 위로 쭈욱, 양팔 기지개…….

휴우, 다시 차렷 자세네. 햇살 아래 잔디밭이라 상상하고 쉴까. 햇살 아래 황홀감…… 소용없어, 아름다웠을 처녀 시절을 전쟁으로 보냈댔지. 선배가 보고 나서 준 책이었다. 노벨문학상을 받은 작품이라고 했다. 시작하자마자 48세 여자의 일상이 펼쳐졌지만, 평범하진 않았다. 멀쩡한 독일 여자가 골칫거리 터키 노동자의 애를 배다니, 것도 고향에 처자가 있으니 혼외자를. 누군가가 자기 앞에서 '무릎을 꿇었기에' 차마 거부할 수 없었다는 여자를 누가 이해해. 주변의 노골적인 질시는 당연, 등 뒤에선 차라리 죽어 버리라는 욕설까지 나왔다.

그때는 그 소설을 제대로 읽지 못했다. 딱딱하기도 했고, 읽다 말다 했다. 그래도 유복한 가정의 예민한 소녀가 겪은 전쟁 이야기는 꽤 아팠다. 그래 히틀러가 죽인 건 군인들과 유대인들만이 아니었지. 죽은 것은 평범한 사람들의 삶도 마찬가지야. 책 속의 레니, 그 여자의 평범했을 인생도 죽었지. 탈영으로 총살당한 오빠, 자포자기로 죽은 아버지, 전선에 나가는 젊은이들과 결혼하는 여자들, 그녀도 얼결에 사촌 오빠와 결혼했고, 전사했고. 여자는 묘지에 딸린 화원 노동자로 몰락했지.

자아, 뒤꿈치 밀고요, 쥐가 안 나려면 항상 뒤꿈치를 밀어내야⋯⋯.

장례 사업은 호황이었겠지, 얼마나 일손이 부족했음 포로들을 거기다 배당했을까. 하필 소련군 포로를 만났지. 그가 온 첫날, 여자가 따뜻한 커피 한 잔을 건넨 일이 사람들한테 '경악할' 노릇이었다고 했다.

선배, 따뜻한 커피 그게 뭐가 경악스러운 일이래요? 하등인간에게 커피를 줬다고? 소련 사람이 왜 하등? 톨스토이도 도스토옙스키도.

게르만은 아리안의 후예라고 선전한 정치 때문이었지.

이상하네, 아리안, 그거 이란 어쩌고 하는 것 아닌가?

맞아. 그 이란과 같아. 몇천 년 전 중앙아시아 스텝 지역에서 살다가 서쪽으로 가서는 유럽 아리안, 남쪽에서는 인도 아리안의 선조가 된 것이니까.

아리안, 그러니까 독일인들 대부분 기독교인 아녔나요, 기독교나 유대교나?

그렇게 말하자면 이슬람도 같은 뿌리지. 아브라함의 자식들의 자식들이니까.

머리 아파.

암튼 아리안 아님 무조건 하등인간, 순정한 피의 문제였지. 그땐 할머니 할아버지 중 한쪽만 유대인이어도 유대인 딱지였지. 친위대에선 더 심했대. 사병은 1,800년도까지, 장교가 되려면 1,700년도까지 거슬러 올라가 순수혈통을 증명해야 했다니, 끔찍했지.

선배, 뭐예요, 생물학에서 인간학으로 전공을 바꾸려고?

아니, 이건 아직 피 흘리고 살아 있는 역사야. 소설이 아냐. 실제로 하등인간 분류가 유효했다는 것이지. 친위대장 히믈러는 '유대인 소개, 유대인 섬멸' 그 말을 입에 달고 살았다잖아.

소개?

그래, 강제소개. 하등인간은 파괴욕과 원시적 탐욕 때문에 밝은 인간들을 해칠 것이므로 소개시켜야 마땅하다! 페스트균 같은 게 건강한 육신을 넘보지 못하도록! '유대−볼셰비키'라고 하면 정신적으로 영적으로 동물보다 더 낮은 단계라는 판정이었어. 상상이 가? 동물보다 더 낮은 인간들. 그들 법으론 유대, 슬라브, 소련의 아시아계 모두는 하등인간이었으니까.

하등인간, 죽어도 바꿀 수 없는 피 때문이네.

선배랑 그런 대화를 나누었었다. 그 책이 그러저럭 내 많지 않은 책들 속에 섞여 있었고, 내가 실제로 마흔여덟 살이 되었을 때, 정확히는 마흔여덟을 다 보낸 겨울에 그해를 돌아보다가 문득 생각이 나서 다시 읽었다. 머리 아프기는 비슷했지만, 좀 읽히는 것은 나이 탓이었을까.

인종 – 인종도 사실 남 이야기가 아니다. 언제부턴가는 한국 말 이상하게 하는 사람들을 쉽게 마주친다. 다문화 가정도 날마다 는다. 정말 남의 일이 아니다. 우리 가계에도 진작 혼혈이 발생했다. 도희가 미국에 잠시 교환학생으로 다녀왔을 뿐으로 그리 되었다.

언니, 어떻게 해. 누가 한국에 오겠다는데.

누가?

으응, 미국에서 만났던.

뭐야, 너 그 틈에 연애했어?

연애는 아니고, 그냥 캠퍼스에서 친절하게, 차분한 선배였는데.

선배? 어떻게 외국 사람이 네 선배야?

그럼 뭐라고 불러, 다카하시상…….

미국에서 만난 일본인이 청혼을 위해 한국에 오리라고는 아무도 예측하지 못했던 일이었다. 그 일본인 청년은 친척집에서 대학에 다니고 있었더란다. 그를 모습으로는 얼른 외국인이라 알아보지 못했다.

혈통은 지켜야지! 아버지는 펄쩍 뛰셨다. 청소년기를 일제 밑에서 보낸 세대였으니 두말할 나위가 없었다. 더구나 둘째 형은 '묻지 마라 갑자생'이었다. 징집만이 아니라 그들의 생사도 묻지 마라. 결국 우리 집엔 둘째 큰아버지란 이름이 생겨나지 않았다. 그런데도 도희는…….

자, 차렷 자세 그대로요. 팔을 넓게 벌리고, 오른손 만세, 상체 들어서……

내 자리는 맨 가장자리 쪽이라서 손을 조금 더 뻗는 순간 핸드폰이 만져진다. 살짝 엿본다. 꼬마 4자가 걸려 있는 동그라미 안이 완전 초록이다. 맙소사, 초록이면 숲 사진의 도희다. 도희에게서만 넷이다. 도희, 도희가 웬일일까.

결혼을 반대하는 이유는 찬성할 수 있는 이유와는 비교도 안 되게 많았다. 첫째가 혈통이고, 그것도 하필 일본인이라니. 외아들에, 너무 부자에. 그 와중에 아버지가 갑자기 돌아가셨다. 그때 다녀갔던 청년이 또다시 찾아왔을 때 어머니는 더 이상 반대를 하지 않았다. 그 무렵 어머니는 무엇에도 버틸 힘이 없었을 것이다.

롤링, 자 롤링 다섯 번 하고 일어나세요. 팔 벌려 숨쉬기 하고요, 다시 한 번, 자, 반대로…… 어깨 흔들고…… 그대로 숨쉬기, 네에, 수고하셨습니다아.

수업이 끝나자마자 핸드폰을 집어 든다.

못 보고 가겠지, 아마. 엄마한텐 전화 못 했어.

100평이라는데 침실은 두 개뿐이네. 베란다에 풀이 엄청 좋으네, 애들 왔음 정말 좋아했을 텐데. 언제 시간 맞춰서 하루 이틀 사용해.

어제 늦게 펜트하우스에 들어왔어, 기장이라고 알아, 해운대에서 고리 쪽, 부산 끝.

언니, 한국이야. 여기는 THE ANANTI COVE.

거꾸로 찾아 읽으니 도희가 부산엘 왔었단다. 아난티 코브? 베란다에 풀장이? 매트 접는 것도 잊고 애꿎은 네이버를 두드린다. 부산 끝 시랑리, 부산 시민들도 잘 찾지 않았다는 한적한 어촌 마을. 느닷없이 300실 규모의 힐튼호텔과 100실 가까운 아난티 펜트하우스 그리고 100채가 넘은 프라이빗 레지던스를 갖춘 관광 명소가 되었단다.

그래, 지친 도시인들을 위한 도심 가까운 명소도 필요하겠지. 쉬고 싶고 돈이 되면 명소에 가서 쉬어 마땅하지. 일본에서도 오는 걸 보니까 일단은 성공한 관광지인 모양이다.

도희는 결혼하고서 일본에 정착하는 줄 알았는데 곧 중동으로 나갔었다. 시댁 회사의 지점이 있는 두바이에 가서 살았다. 어머니가 늘 머리를 싸매고 있는 이유 중의 하나였다. 다행히 아이를 낳은 뒤로 애 교육 문제가 생겨서부터는 도쿄에서 살았다. 도쿄 서울은 쉽게 오갈 수 있어 그나마 다행이었다. 어머니한테는. 그러다 아이가 자라면서는 아예 미국 지사에 나가서 살았고, 오랫동안 한국엔 오지 않았다. 한국에 오더라도 집에까지 내려와서 어머니를 보고 가는 일은 드물었다. 아이들이 다 자란 지금에는 다시 도쿄에 살고 있으니까, 부산도 마음만 먹으면, 또는 비즈니스 때문이면, 쉽게 오갈 수 있나 보다.

다시 네이버. 아난티 코브, 연결된 힐튼호텔 10층 로비의 전경은 지상낙원?

어, 남해바다를 내려다보다가 미치면, 뛰어내리면 어쩌나. 하긴 바다를 보고 미칠 감상에나 빠진 인간이면 아난티 코브 힐튼의 엘리베이터를 타고 오를 위인이 못 되었겠지. 돈이고 명성이고 완벽한 그들, 현대판 귀족들이 바다에 뛰어내릴 염려는 1도 없단다, 이 소심아!

몸 말고 맘도 두뇌도 융숭한 대접을 받는군. 500평에 달하는 대형서점 '이터널 저니'에는 여행, 인문, 철학, 예술 등을 주제로

2만여 권의 책을 비치해 놓았단다. 여행, 인문, 철학, 예술이 돈의 소유임을 모르지는 않았다. 허나 돈이 모자라면 여행, 인문, 철학, 예술 모두에서 영영 이삭줍기 인생임을 다시 한 번 확인해야 하는 대목이다. 7, 8천 그루의 교목과 관목을 자랑한다는 아난티 정원, 참 낙원이겠다. 힐튼호텔 앞쪽에는 장흥의 시골마을에서 300년 넘은 은목서를 옮겨 심었다고. 대단하구나.

문자 내용으로 보아서 체크아웃이 임박했다는 것 같았다. 곧 있으면 부산 도쿄 비행기에 오르겠지. 나도 문자를 쓴다. 그래, 300년도 넘었다는 장흥산 은목서는 안녕하시든? 어디에 있던 행복하면 돼!

행복하면 된다! 행복하자면 최소한 열등하진 말아야 하는데. 우선 장애는 열등이다. 그런데 난 듣는 데 장애가 있다. 거기다가 또 어딘가 아프면 큰일이다. 누군가에게 짐이 되는 건 곤란하지. 귀찮아도 요가교실에 다닐 이유를 또 한 번 확인한다. 우리 중 누가 회복불능으로 아프면, 어차피 죽을 거면, 몰래 수면제 치사량을 먹이기로 약속하자! 도희랑 고등학교 때인가 약속했었는데, 아마 도희는 잊었을지도 모른다. 지금은 그런 시시콜콜한 이야기를 확인할 계제가 안 된다. 우선 너무 멀다. 태어나면서 미모도 우열을 갈랐지. 뚱한 언니에 비해 상큼하게 예뻤던 도희는.

그런데 미모로 사람을 나누는 것은 해결된 것도 같다, 잘만 하면. 10년도 넘은 이야기다. 그때 비비씨 뉴스라든가 런던타임즈라든가에서, 아니면 둘 다에서, 남편이 성형의 나라 한국 이야기를 보고는 한숨을 쉰 적이 있었다.

내 참, 이럴 줄 알았으면 성형외과를 하는 건데.

…….

이거 봐, 제목이 아예 '프라이스 오브 뷰티 인 사우스 코리아', 미모의 값이라. 미모에 대한 광증이 지배하고 있는 남한. 여기 봐, '얼짱'이라는 한국어도 그대로 소개되었다니까. 20대 여성 50%는 어떤 방식이건 성형을 했다는 거야. 스물다섯 살 여자가 몇이야, 80만 명은 태어났을 것이니 여자가 40만, 그중 절반이면 20만 이상이 어딘가 손을 댔다는 말인데, 어휴.

이비인후과 환자 수는 그에 비길 바가 못 될 것이다. 게다가 거의 노인들이 오겠지. 잘 못 듣고 어벙한, 기침 감기가 오래되어 목이 쉰 노인네들. 그래도 썩은 이빨을 내미는 치과보다는 낫지 않을까. 무슨 과이건 하루 종일 환자들을 대하는 의사라는 직업이 개인에게는 상쾌한 직업은 못 될 것이다. 그렇담 하루 종일 범죄자만 다루는 경찰이나 검찰, 그러니까 판검사들도 개인적으로 쾌적한 직업은 못 되겠다. 꽃나무나 꽃을 파는 화원이, 문방구를 파는 가게가 좋겠다. 다음 생에서는 소소한 그런 일들을 했으면 싶다. 아니, 아주 만일에 다음 생이 있다면 그보다는 먹을거리를 생산하는…….

암튼 그 순간에는 우선 남편을 위로하고 싶었다.

성형외관 좀 위험하지 않을까요. 매번 확실하게 더 예뻐지라는 법도 없고.

구더기 무서워 장 못 쑤나. 본인들이 선택하는 건데 뭐.

마취 같은 것도 무섭고.

마취가 무섭지 않은 사람은 없지 그래. 그렇다고 마취 무서운 의사가 의사인감. 의사를 말던지. 하긴 피부과 지원자도 엄청나다더라고. 전엔 의대에서 성적 좋은 애들이 피부과 같은 건 거들떠보지도 않았었는데.

피부과를?

피부과에서 간단한 성형을 상당히 해결하제. 수술을 많이 안하고도.

나라면. 내가 만일 의사라 해도, 확실히 성형외과 의사가 되고 싶어 하진 않았을 것이라고 말하려다 그만두었었다. 의사가 아닌 주제에 가정법으로 말해 무슨 소용인가.

성형외과를 하다가 지금은 요양병원을 운영하는 의대 선배도 있다고 했다. 베드가 100에 육박한대나, 넘는대나. 그거 다 쌍수해서 벌은 거라니. 내과 은사님 한 분 떡 하니 모셔다 놨더구만. 개원 때 다녀와서 고개를 설레설레 흔들던 모습이 좀 안타까웠다. 내과와 정형외과 위주의 종합병원을 차린 후배들 여남은 틈에 끼어서 혼자 파리 날리는 이비인후과를 맡아서는. 자존감에 상처를 입고 살면 어쩌나.

남편이 왜 이비인후과를 택했었는지는 모를 일이다. 오빠 고등학교 동기로 함께 의과대학에 진학했지만, 오빠완 일찍 갈렸다. 오빠는 본과에 가자마자 탈락했다. 무작정 작파했다. 결국 해부학교실 때문임이 드러났다. 그러고도 사내 녀석이냐! 인생이 그게 땅 파먹고 살 거냐? 호미로 지렁일……. 아버지의 화난 목소리가 우리 방 창문까지 흔들었다.

오빠, 해골 봤어? 시체 해부도 했어? 좀 있다가 도희는 풀 죽은 오빠에게 짓궂게 물었다. 멋쩍은 오빠 표정은 어려서 샘가에서 한 솥 가득 토막 난 허연 뼈다귀들을 보고 나서 도망쳤던 일을 떠오르게 했다. 그때도 도희는 샘가에 그냥 있었지 싶다.

누이들아, 실망했지? 그래, 나 구역질해서 좀생이 됐다. 망신산 것? 것보다 그 애, 그 애가 키득거렸어. 샐샐 웃고 있었다고! 입을 꼭 다문 오빠는 그렇게 말하고 있었다. 난 어렴풋이 오빠의 '그 애'를 알고 있었다.

오빠가 진로를 바꾸어 서울로 간 뒤에도, 오빠가 집에 오는 방학 때면 의대 친구도 어김없이 왔다. 오빠가 엉뚱하게 유학을 앞두었을 무렵엔 우리의 결혼 말이 오갔고, 곧 결혼을 하게 되었다. 사윗감이 이비인후과 레지던트란 사실에 우리 부모님들은 뭔가 안심하셨을 것이다. 딸이 요상한 병, 먼 데는 잘 듣고 가까운 데는 잘 못 듣는 병에 걸려 있었으니까. 그것이 이비인후과 소속의 병일 것이라 믿고 계셨으니까. 그런데 남편의 세부 전공은 귀가 아니라 목이다, 뭐 그런.

　　편한 운동화 위에서 걷고 있는 내 몸을 내려다본다. 요가교
실에 가는 날에는 기장이 긴 티셔츠를 입고 다닌다. 못 살게 뚱뚱
한 건 아니지만 운동하려면 몸을 덮는 게 편타. 남자 회원들이 두
엇 섞여서 불편한 점도 있다. 팔을 위로 뻗을 때면 허리가 드러날
지, 고양이 자세 같은 것을 하려다간 정말 배퉁이가 다 보일지. 더
러는 민망한 장면이 연출되기도 한다. 막상 여기저기를 다 내놓는
회원들은 무신경하다. 무신경하니까 행복한가. 요가시간 마지막
쯤에는 스트레스 해소 웃음을 웃으라고 할 때가 있다. 억지웃음이
잘 안 나오는데, 제일 잘 웃는 건 배퉁이를 보통으로 내놓는 영님
씨다. 몽글몽글한 몸매로 귀여운 여자인데, 엉덩이는 쳐들고 배가
훌러덩 벗겨져서 뱃살이 바닥에 눌릴 때면 솔직히 나도 모르게 눈
이 감아진다. 그런데 제일 행복한 얼굴이다.

　　나남이 씨, 뭐해요. 파란 불이구만, 언능 갑시다.
　　건널목에 서 있던 내게서 누가 가방을 잡아당긴다. 바로 행복
한 영님 씨의 친구다.
　　어, 내가 젤 늦게 나온 줄 알았더만요. 근데 오늘 친구는 안 보
이던…….
　　예에, 해외여행 갔다요, 7박 8일이나 된다요. 신랑이 환갑잉게

환갑여행인디요, 사돈네랑 같이 갔다요. 거그는 내년인디 한테 가자고.

사돈네랑 해외여행을? 나도 모르게 말하고서 움찔했는데, 다행히 스스럼없는 반응이다.

그 집 며늘애가 참 좋아라. 긍께 그라고 항꾸네 여행 모시고 다니겄…….

말을 다 마치기도 전에 우리는 건널목을 건넜고, 건널목을 건너자 바로 헤어졌다.

나도 하와이엘 간 적이 있었다. 도희네가 카일루아 쪽에 집을 통째 빌려 놓았다. 우리는 한 달 내내 함께 있지는 않았다. 코앞의 해변은 놀랍도록 아름다웠다. 그런데 희극적으로 뚱뚱한 사람들, 배퉁이를 다 드러낸 남자들 여자들이 아무렇지도 않게 햇볕을 즐기고 있었다. 덜렁덜렁, 출렁출렁, 거의 시선을 피하고 싶은 몸매들. 임신 후반기처럼 보이는 여자도 배를 한껏 내밀어 벼슬처럼 쳐들고 뒤뚱거리며 휘젓고 다녔다. 가까이 보면 발가락들하며 발모양은 희한하기도 했다.

말도 안 돼, 저런 발을 몸을 뭣 하러 내놓을까.

다음 순간, 우리가 우리 몸을 누구를 위해서 누구를 보라고 내놓는 건 아니지, 하는 생각이 들었다. 팔등신이 아니라고, 배가 출렁거린다고, 그것이 밝은 대낮에 따뜻한 모래사장에서 햇볕을 즐겨서는 안 될 이유는 아니었다. 한번 그만큼으로 살아 있으므로.

그러니까 자신을 사랑하는 법, 그것이 문제야. 도희는 달랐다. 예쁘기도 했지만 뭔가 자신감이 있었다. 그래, 그래서 고향을 멀리 멀리 떠나서도 자신 있게 행복할 수 있는 것 같았다. 우수한 형질이란…….

플라잉 인 더 스카이~, 핸드폰 벨 소리다. 모르는 번호다. 그것까지 응대할 마음도 여유도 없다. 벨은 곧 꺼진다.

어라, 도희에게 썼던 문자가 그냥 거기에 그러고 있다. 그래, 300년도 넘었다는 장흥산 은목서는 안녕하시든? 어디에 있던 행복하면 돼!

놀라서 근처 아이들 놀이터 그네에 가서 앉는다. 카톡 전송을 아직 안 한 것이 정말 다행이다. 앞줄을 주르륵 지운다. 은목서 안부를 물어서 뭐하려고! 그 순간 내가 어딘가 팍팍 꼬였었나 싶다. 살짝 바꾼다. 울 도희, 어디에 있든 행복해라!

내가 짜릿한 행복감을 잘 모른다고 해서 그리 불행한 것도 아니다. 밥걱정해 본 적 없이 불행 어쩌고 하면 죄로 간다. 행불행은 돌고 돈다는데 나머지 생에서 밥걱정하게 될까, 그것이 걱정될 때도 있다. 꼭 그 때문은 아닌데 가끔 귀가 울 만큼 머리가 아플 때가 많다. 예컨대 예쁘고 활달한 도희가 사는 소식을 듣다 보면 혹시 나는 하등인간인가? 아난티 코브를 거닐 수 없으면, 또는 수억짜리 명품시계 안내행사에 초대된 적이 없으면.

그 얘기도 슬쩍 들었었다. 서울, 유수의 호텔 브이브이아이피 룸, 아직 붐비지 않은 늦은 오전 시간, 정장을 입은 직원들이 장갑까지 끼고서 단 대여섯 명의 귀빈들에게 '신상 작품들'을 소개하는 자리. 눈에 선하다. 우아하게 절제된 몸놀림, 조용한 목소리.

그러게, 5억 그런데도 별 게 아니더라. 시계 얼굴은 뭐 예뻤는데, 줄이, 보석 장식들도 너무 자잘자잘하고. 스타일은 괜찮아서 차 보기는 했어. 점심 대접까지 해 줘. 서울 사는 친구, 숙인이 알지, 숙인일 데려갔어. 샴페인 곁들인 메뉴판 보고는 눈 좀 휘둥거리더라!

무슨 이야기냐 하면, 집값을 훨씬 넘는 시계나 아난티 코브 수준의 펜트하우스는 사람을 나누어 팽개쳐 버리는 것 같다는 말이다. 120만 원을, 내가 잘 못 들었나, 잘 못 들었기를, 그 돈을 하루 숙박에 지불해야 하는 데를 누가 쉬이 구경하겠는가. 누군가가 지불할 수 있는 숙박요금의 상한선 말인데, 그게 바로 자존감의 높이다. 그렇게 취급된다. 숙박비 말고도, 아무라도 기분 따라서 이삼 일을 그냥 쉴 수나 있나, 자유로움을 만끽하는 여행을 떠날 수나 있는가.

집은 안 그런가. 서울 어딘가 평당 5천만 원이 넘는 아파트도 있다고, 올 초에 뉴스에 나왔다. 그때 누군가 티브이를 때려 부수는 소리가 났다, 꽈당, 꽈다당! 아래층인가? 환청인가?

날마다 수많은 아파트들과 빌라들이 들어서고, 날마다 수많은 모델하우스들이 공개되지만, 손님들을 선별적으로 조용하고도 융숭하게 안내하는 곳들이 있다는 것을 사람들은 잘 모른다. 사람들은 다 아는지 모르지만, 나는 정말 몰랐었다. 어떤 특정 모델하우스에 초대되어 살며시 다녀왔다는 도희가 전화를 했었다. 그때도 부산이었다.

전망 끝내주더라. 아파트보다는 레지던스가 관심이 가던데.

레지던스? 부산에 주택을 사려고?

무슨 주택을, 브랜드 레지던스지.

브랜드?

점점 알 수 없는 소리였다.

그러니까 레지던스는 5성급 호텔과 한 건물에 있어서 똑같은 서비스를 받거든. 아래는 호텔이고 위는 레지던스, 가구 딸린 아파트 비슷하다고 생각하면 돼. 가정처럼 살림도 하니까. 젤 좋은 건, 언니, 사서 등기도 할 수 있어. 서울 어디 레지던스는 평당 일억도 한대나. 좀 되긴 하지. 그래도 외국인은 투자이민식으로 영주권도 받을 수 있고, 내국인은 1가구 2주택도 해당 안 돼서 좋고.

그냥 들은 풍월이라고, 도희가 무심코 이야기하는 일상은 내게는 너무도 특별한 영상이다. 비교할 수 있는 일상의 꼬투리가 없기 때문에, 비교가 되지 않아서, 일상의 자리 어딘가에 묶을 수가 없기 때문일 것이다.

어느 정도까지? 묻고 싶은 것을 참았다. 내가 언니니까. 언니가 시시콜콜 그런 것을 묻는 건 아니다. 자매라 해도 각각 결혼해서 다른 세계에서 살아온 세월들이 얼마인가. 세월 따라 변하는 게 많겠지. 아니, 서울로 진학을 고집했을 때부터 남다르기도 했다. 나는 왜 그런 생각을 하지 못했을까.

난 아마 꿈이나 욕구가 그리 높은 사람이 아닌 것이다. 대학 때부터였나. 잘 듣지 못하는 일이 다반사다 보니 더 멍해진 것도 사실이다. 도희는 날 찔러댔다. 헬렌 켈러도 그런 말을 했다더라, 언니야. 청각 상실이 시각 상실보다 더 불행하다고. 시각 상실은 사물들로부터 고립시키지만, 청각 상실은 사람들로부터 고립시키기 때문이래. 사람과의 연관을 어렵게 하고, 무슨 일이 벌어지고 있는지를 알 수 없게 한대. 무서웠다. 무서워서 어렵사리 영어 원문까지 찾아보았다. 프럼 띵스, 프럼 피플.

아, 선배는, 심각한 청력 장애였던 선배는 어땠을까? 그 선배가 말할 때, 큰 소리로 말할 때, 나랑 결혼해, 괜찮겠지? 그렇게 가까운 소리를 흘려들으면서 나는 저 나무 위 새소리를 듣고 있었다. 난 정말 못 들었다. 숨이 막혔던, 오싹하게 막혔던 그 순간을 온전하게 기억할 수가 없다. 기억도 해선 아니 된다.

어차피 가끔 잘 못 듣기 때문에, 나는 다른 사람들의 말에 휩쓸리지 않는다고 오기를 부리는 편이다. 그런데도 실은 초라함에 질린다. 월 만 원 수업료를 내는 주민센터 요가교실에 다녀오는 길,

하릴없이 아이들 놀이터 그네에 앉아 있는 나. 스파 앤 클럽 입회 보증금으로 집 한 채 값을 슬쩍 긁어 대는 마이다스 손들은 우리 모두를 하등인간이라고 치부하겠지. 반려동물만 못한, 동물보다 아래 부류의 인간. 으스스 떨린다, 알 수 없는 모욕감에. 애꿎은 그네를 땅을 차고 두어 번 굴려 본다. 하늘 – 땅 – 하늘 – 땅.

하늘에서 땅으로 곤두박질친 사람들도 있다. 다이애나가 죽었을 때도 그런 느낌이었다. 우르릉 꽈당! 지하 차도를 달리던 차가 벽을 들이받는 소리가 난다. 헉, 하고 쓰러지는 사람, 사람들. 끼익, 끼이익! 뒤쫓다 멈추는 차량들. 파박, 파팍! 터지는 셔터 소리, 소리들.

셔터 소리야, 셔터 터지는 소리, 소리들.

나남이, 뭐하고 있어!

가만, 고통스런 저 숨소리. 응급 처치는 않고 셔터들만 눌러대고 있어, 파박 파팍!

무슨 소리가 난다고 그래! 정신 차려, 남이야, 다 끝난 일이야. 뉴스에 뜬 건 이미 끝난 일들이라니까.

그러네, 연인이랑 함께 있었다고, 불행 중 다행이네.

갔는데 무슨 소용.

그래도. 이집트 무슬림이라면 이제 피는 안 따지는 세상이 되었나 봐.

무슬림이지만 누구냐가 문제지! 런던 한복판 세계적 수준의 해

롯백화점 상속자라잖아. 혈통이나 피부색이 별 문제가 아닌 거지.

왜 아냐, 영국 왕실에선 그 일로 크게 노했다는 음모설도.

설은 설이고. 인간 등급의 새로운 기준은 이제 혈통이 아니라 돈이라는 것이지. 돈이 되면 되는 거야. 돈이 안 되는 인간은 하등인간이고. 돈의 피라미드, 상부에 오르려면 최강 맹수처럼 살아내야 해. 누구든 제쳐야지. 메피스토 말이 맞아, 인간은 신이 짐승들보다 우월하게 만들어 준 이성을 사용한답시고 외려 짐승보다 더 짐승같이 되었다고.

언제 적 사람?

왜 이래, 메피스토펠레스, 파우스트 유혹자!

애초에 그리 말하지. 인간도 약육강생이란 말이지?

너 왜 이래 오늘, 강생 아니고 강식! 인간도가 아니라 인간이 특히 그 선봉에 섰지. 인간 정글에서 철저히 계산된 약육강식을 누가 말리냐고. 합리적 이성이란 다른 말로는 잇속 따른 철저한 계산일 뿐야.

졸업 후 일만 하다가, 일하면서 누군가를 사랑만 하다가, 그러다가 그냥 혼자, 평생을 혼자 공부만 하며 살아가는 미선은 가끔은 너무 어려운 말을 한다. 지난번에 집에서 커피 마시다가도 그랬다. 발아래 모래땅을 톡톡 건드리다 일어서려니, 모래 가루에서 커피 향이 올라온다.

여전히 폴저스 깡통이구나.

뭐 그냥. 인스턴트 때부터지. 네 말대로 합리적이다, 왜!

합리? 커피 값도 요지경이야. 저번 서울에 갔을 때, 우연히 소문난 중국식당엘 갔었다.

커피 값 말하다가 웬 식당?

으응, 요리골목 그런 데. 요리프로그램에 나오는 사람네 식당이라고.

맛이 많이 다르던? 비싸겠지 뭐.

맛에 돈에 놀란 것 아냐. 웬만하더라고. 근데 식당 영수증을 가져가면 근처 커피집에서 1,000원에 아메리카노를 마실 수 있다는 거야. 괜찮은 오퍼지.

괜찮으네.

그게 다가 아냐. 바로 옆 다른 커피전문점 앞을 지나는데 섬뜩하더라고. 전문점이면 나름 비싼 아라비카 원두를 쓸 테니 4,000원은 되겠지. 누가 거길 가느냐고. 값싼 로부스타 원두면 어때, 식후에 아메리카노 한 잔이면 충분한 것이 보통의 우린데.

대기업의 문어발 공격은 막아 준다 안 했었냐. 프랜차이즈 빵집, 식당, 그런 것들 중소기업 적합 업종 뭐 그런 것 정해 주지 않았어?

소용없다니까. 호랑이 없는 굴 속 여우가 왕 노릇이지. 여우는 꾀를 낸다고, 여기서 식사하고 이 커피로 가세요! 밥집과 커피집이 한통속이더라고. 알바도 같이 쓰고.

설마.

커피 주문받는 애 손톱 땜에 기억이 났어. 열 손가락 무지개라서 곧 알아봤지. 내가 기어코 물어봤어, 아까 저쪽 식당에서 본 것 같다고. 뭐랬는줄 알아? 맞아요, 같은 사장님이 운영하세여. 점심 바쁠 땐 그쪽으로 순환 근무죠. 저녁시간엔 더 많이요. 그랬다니까.

설마.

남이야, 내 귀로 직접 들었어. 꿩 먹고 알 먹고, 여우 같은 인간들.

우리는 두 눈 또는 네 눈을 둘 데를 몰라서 뚫어지게 커피 잔만 바라보고 있었다. 커피는 식어 갔다.

왜, 여우라고 하니까 로트카—볼테르 공식이 떠오르네. 내가 가만히 말문을 열었다.

너 어떻게 그걸?

어떤 건 기억한다 뭐.

바로 그거야, 포식자 피식자에 관한 로트카—볼테라 방정식. 여우 까짓것 한껏 늘라지. 첨엔 여우가 늘수록 토끼가 줄겠지. 하지만 토끼가 아예 줄어들면 여우도 따라 줄어. 그럼 다시 토끼가 늘 것이니까. 움츠려 보자고!

응, 로트카—볼테라, 볼테르가 입에 붙었나 보네.

난 가끔 단어들을 틀리게 말해서 무안할 때가 있다. 주홍이나 주황이나, 분홍이나 분황이나. 뭐 내가 언어학잔가.

아파트 하나를 건너서 걷다 보니 집이다. 우리 아파트다. 문을 열면 바로 작은 욕실이 있는 구조는 참 이성적인 생각에서 만들어진 결과다. 청결을 추구하는 우월한 이성이 좋구만! 메피스토며 미선을 생각하면서 웃었다.

사람의 몸 중에서 어디가 제일 불결한 곳이죠?

우리 꼬마들은 말을 못 하고 키득키득 웃었다. 다들 대변 소변 생각을 했을 것이다. 더러는 매일매일 새까매지는 양말을 보면서 발을 생각했을 것이다. 아무도 대답을 하지 않자 선생님은 말했다. 손이 젤 더러운 곳이에요, 손이! 손이 무엇이든 만지고 다니잖아요, 하루 종일! 그러니까 손을 잘 씻는 사람이 젤 깨끗한 사람이에요!

어려서 배운 것은 정말 평생 간다. 내가 만지는 것들이 다 문제가 많은 것들이 맞다. 요가매트는 공용이다 보니 첫날 바로 몸이 쑤시고 간지러웠다. 곧 면 누비천으로 덧깔개를 만들어 갔다. 나만 그런 건 아니다. 다른 회원들도 여럿이 깔개를 쓴다. 문제는 계속 생긴다. 요가 선생님은 앞쪽으로 누우라고 했다가 다음 날은 또 뒤쪽으로 누우라고 한다. 머리와 발을 바뀌지 않게 하려고 이름까지 수를 놓았지만 소용이 없다. 이름 표시 자체는 정말 필요가 없다. 날마다 가지고 다니니까. 뭣한데 짊어지고 다니요! 여기

요레 놔둬도 안 없어진디! 누군가가 친절히 말해 주었지만, 내 맘속에서는 아니다. 내가 결석을 했을 때 누가 내 깔개를 사용할 수도 있다는 생각, 아니, 다른 사람들 거랑 함께 쑤셔 박혀 있는 상상이 그리 유쾌하지 못한 걸 어쩌라고. 집에 가져오면 여름철엔 매번 널기도 하고 또 자주 빤다. 빨래는 세탁기 몫이니 문제없다. 날마다 물청소를 할 수 없는 물건들이 심각한 것들이다. 하긴 날마다 물청소를 한들, 빨아 쓰는 걸레도 그 나름 불결하겠지. 그렇담 쓰고 버리는 종이 걸레를 써야 할 텐데 그건 또 못 하겠다. 이율배반이다. 일회용 걸레를 쓰지 못하면 하등인간? 아 참, 오늘 왜 이리 등급 타령일까.

괜찮다. 난 괜찮다. 밀걸레질을 하려면 수건 걸레를 다섯 번은 바꾸어야 하지만 괜찮다. 대신 깨끗한 마루를 내가 좋아하니까. 오늘은 샤워를 먼저 하고 머리를 싸매고 나와서 마루를 닦았는데, 매번 갈팡질팡한다. 걸레질이 먼저인가 샤워가 먼저인가. 가장 맘에 드는 것은 일단 손을 먼저 씻고, 청소를 마치고 난 후 샤워를 하는 것이다. 그런데 손을 씻다가 순간에 샤워 꼭지를 틀고 만다. 그런데 샤워를 하고 나서 밀걸레를 들자면 쭈욱 뻗고 쉬고픈 마음과 싸워야 한다. 그래도 결국 한다. 의심도 따른다. 나에게 깨끗한 마루가 그렇게 중하다면, 몸을 짓이겨서라도 청소를 하려 한다면, 내 몸은 마룻바닥보다 아래인가. 소중한 것, 소중한 것들. 판단의 시금석이 불안하다. 곧바로 혼란이다.

세상도 그러하다. 시금석 같은 건 없다. 어떤 이성은 아내를 남편을 부모를 버리고 보험금을 택하고, 어떤 감성은 강아지를 위해 남편을 지인을 이웃을 죽인다. 메피스토도 절반은 몰랐다. 지상에서 신이라 자처하는 인간들, 이젠 이성뿐 아니라 감성도 함께 통째로 미치고 있답니다!

아, 편지를 쓰자, 메피스토에게.

햇살이 마루 깊숙이 왔지만, 여전히 긴 하루가 남아 있다.

편지, 메피스토에게

메피스토라는, 고깔모자 같은 것을 쓰고 펄럭이는 망토를 입은 수상쩍은 거인이 바람을 일으킨다. 놀라서 몸은 움직이질 않고 숨도 멎는다. 눈만 겨우 떴는데 아직 방은 어둑했다. 다시 잠을 청하는 것이 두려워 일찍 자리를 털고 일어났다. 부엌의 불빛이 오히려 안정감을 준다. 오랜만에 감자를 까고 사각으로 썰고 삶고…… 샐러드도 만든다. 아침이 길어진다.

창밖으로는 비를 품은 날씨가 스산하다. 밤새 내리던 비가 잠시 그쳤을 뿐이다.

나 나가요! 오늘도 계속 비 소식이네. 비 오면 외려 외출이라도 해요!

남편은 적당한 잔소리를 남기고 출근한다. 집안 공기가 더 나빠요. 우산 꼭 챙기고! 남편은 비 오는 날을 더 염려한다. 안다.

나를 위해서 염려한다. 늘 햇빛 타령이다.

평소에 좀, 햇살 좋은 날 산책을 좀 해야 할 텐데. 당신 얼굴색을 보면, 딱 봐도 멜라토닌 부족이라……. 두 손으로 내 어깨를 잡으며 눈에다 대고 말할 태세다.

알았어요. 멜라토닌과 세로토닌이 부족하면 기분이 더 가라앉아서…….

그래요, 다 외웠으니 더는 말하지 말라? 그럼 실천을 좀…….

이번에는 내가 먼저 대문을 닫았다. 남편이 꼭 끝말을 하려는 것이 싫었다. 싫은 날도 있다. 우울증은 일조량과 관계가 있다. 게다가 비가 오면 습도로 인해 우울 모드가 상승한다. 대부분 사람들이 먼 데 소리를 듣지 못하는데, 가까운 소리들은 다 들어야 해서 귀가 윙윙거린다고 느낀다. 당신이 가까운 소릴 못 듣고 먼 데 소리만 들린다고 하는 건 그냥 상상이다. 실내 운동이라도 하면 좀 좋아요. 남편의 레퍼토리는 유독 비 오는 날엔 더 증가한다.

비가 오면 뛰어다니라고? 그게 강아지이지 사람인가! 대문을 닫아 놓고도 혼자 중얼거린다. 비와 우울증과 상관관계가 있기는 한가. 『그리스인 조르바』에도 그런 이야기가 나왔던 것 같기는 하다. 그걸 믿을 필요는 없다. 더구나 의학서도 아닌 소설의 말을 믿다니. 외려 며칠 동안 머리를 떠나지 않는 숙제가 있다. 미선이 메피스토를 들먹였기 때문인데, 그 애 말이 늘 그러듯 알쏭달쏭했고, 난 머리가 아팠다.

메피스토 말이 맞아, 인간은 신이 짐승들보다 우월하도록 만들어 준 이성을 사용한답시고 외려 짐승보다 더 짐승같이 되었다고.

합리적 이성이란 철저한 계산의 다른 말이라는 대목에서 내 머리가 복잡해졌다. 귀로는 들렸는데 알 수가 없었다. 이성적 인간일수록 더 잔인하게, 경제 피라미드의 꼭대기를 향해서 맹수보다 더한 잔인성으로 상대들을 제압해 나간다고, 그것이 오늘날 신자유주의 시장경제의 구조라고, 미선은 말했다. 유대인을 하등인간으로 분류했던 시대는 지났어. 이젠 외려 유대인들의 돈과 명성이 최강국 미국을 움직이는 동인이야. 이스라엘이 유네스코에서 탈퇴하는 것과 맞물려 미국이 탈퇴하는 것 봐. 누구의 돈이건 돈이 세상을 지배하고 있어. 첨엔 그냥 객관적 지식으로만 들었을 뿐이었다. 다 알아들을 필요가 있나 뭐. 그러다가 왜 그런 말을 했을까 하는 데 생각이 미치자 다시 궁금증이 요동쳤다.

미선은 평범한 우리들이랑은 다르다. 요새 말로 비혼족이다. 젊은 날 다 태워 버린 열정이 그 애를 일찍 성숙하게 했는지, 우리와는 뭔가 차원이 달랐다. 분명 그 문장에도 대단한 곡절이 있을 거야. '그' 인간이라고 말하지는 않았지만, 인간이란 말에서 그 인간을 떠올린 것은 내 선입견일까. 맹수보다 더 잔인한 그 인간을 눈앞에 떠올리며, 내 상상이 맞으리라는 확신 속에서 그 맹수를 함께 욕한다.

그래 맘먹은 대로 편지를 쓰자. 누구라도 웃을까. 웃으라지. 하지만 악령의 권능이라면 이런 것쯤 읽지 못할 리가 없다는 생각이 든다. 생각, 생각이 병통이다.

＊

조금 놀라시려나, 메피스토님. 편지입니다. 인간에게서 편지를 받아본 적이 없을지 모르지만, 세상엔 처음 일어나는 일들로 넘치잖아요.

당신을 내게 불러와 이런 계기를 만든 것은 내 친구 미선이니까, 소개부터 할게요. 박미선은 평범한 아줌마—할머니 우리들과는 다르답니다. 평생 공부를 놓지 않고 스스로 밥을 버는 독립적 인간이죠. 대부분 다소 어려운 말을 하고 우리를 일깨우곤 하는 미선이 말끝을 흐릴 때도 있답니다. 그럴 땐 풋풋하고 튼실해 보였던 캠퍼스 커플의 미래를 쓸어간 파도가 그 범인임을 우린 다 알죠. 시쳇말로 몸과 맘을 통째로 다 퍼내 주고도 대어를 그물 밖으로 놓아 보낸 회한이라고 해 두죠. 속절없이 파편으로 흩어진 날들을 어찌 쉽게 잊나요.

진부한 이야기죠. 한국에서 사시 합격은 젊은이를 타락시키는 지름길일 수도 있다는 말, 알죠? 근년에 우수수 떨어지는 판검사들의 모양새를 보세요. 당신이 파우스트를 유혹했던 첫 번째 낚싯

바늘도 젊음 그리고 욕망을 눈뜨게 한 거였잖아요!

지금처럼 무엇이든 센서로 작동하는 시절은 아니었죠. 절거덩거리는 열쇠 꾸러미를 주렁주렁 들고 나타난 솔직한 예비 장모님, 목소리 또한 사근사근 노랫소리처럼 들리는군요. 보소, 고마 자랑스러운 기라! 예비 장인은 또. 마, 우리 집으로 온나. 아들 하나저거는 얼라다. 다 니 해라 고마! 난 다 들을 수 있었어요, 내 기막힌 청각에 잡히는 먼 데 소리들을.

젊은이의 욕망, 그 욕망이 현실이 되어 눈앞에 펼쳐질 때 누군들 망설이겠어요. 보통 인간들에게는 보이지도 않는 문이 열려 있어요. 칙칙한 오솔길에 어느 날 비쳐 든 햇살, 누구라도 그런 순간이면 꿈처럼 드러난 따뜻하고 환한 길로 각도를 확 꺾기 쉽죠.

뒤돌아보면 시리도록 아름다운 젊은 나날이었을 텐데요. 아니, 아름다움은 추상적인 단어일 뿐, 눈물과 땀과 땟국 얼룩진 남루함의 연속이었겠죠. 나야 그토록 격하게 공부해 보지 않았으니 알 수는 없죠. 하지만 공부 그것이 희열이기만 했을까요. 합격 후 다시는 글자들을 보고 싶지 않다, 그럴 법도 하죠. 그래서 법조문들은 그리도 낡아서 시렁에 걸려 마르다 말다 하는 시래기 같은 것인지. 외국어보다 더 어려운 글자들이라지요. 너희 무지렁이들은 법률용어 같은 것 모른 채로 대충 살아라, 그런 식이죠. 능력에 못 미치는 부류는 아예 하등인간 취급하고요. 반려견보다 아래, 심하면 두더지나 벌레 보듯 하면서. 암튼 다른 계급에 발돋움한 그가 일순간 사라졌을 때, 우린 그를 증오했을밖에요. 비열한 놈!

　미선이 인사대의 퀸 같은 존재일 때 그는 도서관 붙박이, 파리하고 왜소하여 눈에 띄지도 않았어요. 우리가 '도파'라고 부른 이유죠. 기지에 빛나는 구석도 있었죠. 미선더러 '레미'라 부르며 도레미파 화음을 과시하곤 했을 땐 솔직히 모두 부러워했었거든요. 미선 혼자서 과외알바 뛰고 남친은 공부만 하기, 그런 듀오전략이 흔들린 건 4학년이 되어서죠. 전대미문의 봄날, 그 5월의 몸서리치는 경험에 덧대어 우리 모두 졸업에 대한 부담감으로 우울할 때였죠. 게다가 여름엔 느닷없는 과외금지령으로 속수무책이었죠. 가을학기엔 결국 미선이 휴학을 했어요. 종일 일해서 남친은 공부만 계속할 수 있도록. 그렇게 졸업도 늦고 일만 하던 미선은 산 정상에 첫발을 올린 순간에 벼랑을 만나더라고요.

　이 날개를 도저히 거부할 수가 없다, 그런 말을 했었다고. 나중에 세월 흐른 뒤 미선이 그러더군요. 그 망할 놈의 날개, 밀랍으로 만든 이카로스의 날개였음 좋겠다! 내가 아예 저주를 했죠! 미선의 속마음은 모르는 채로. 그러다가 근년 들어 고위직 판검사 한둘 티비에서 뭇매를 맞을 때 그 이름이 살짝 튀어나오기에, 그래, 에게 해로 빠져나 버려라, 속으로 그랬지요. 웬걸, 어물쩍 살아나더군요.

　이런 미선이 당신을 불러낸 거죠. 나는 차라리 원전을 찾아보기로 했죠. 미선더러 언제 학교 가는 길에 도서관에서 『파우스트』

좀 빌려다 달랬죠. 웬 고전? 이라는 표정으로 웃더군요. 아마 자신이 했던 말을 잊었을 거예요. 방황돼서 그래, 인간은 방황하는 한 어쩌고, 그것 좀 읽고 싶어서. 나는 딴청을 부렸지요.

책을 손에 넣었죠. 회심의 각오로 신과 내기를 벌였다가 실패한 당신의 방대한 이야기는 내버려 두죠. 오늘은 그 서곡에서 당신이 신과의 내기 가운데 말했던 '천상의 빛'에 관한 것으로 한정할게요. 그 단 한 문장이 얼마나 어려운 말들을 내포하는지.

메피스토펠레스: 지상의 작은 신(이라는 자)…… 차라리 천상의 빛을 비춰 주지 않았던들 그가 좀 더 잘 살 수 있었을는지. 그것을 이성이라 부르고는, 어떤 동물보다 더 동물적으로 사는 데만 써 먹고 있군요.

당신은 인간을 지상의 작은 신이라고 했죠. 이성을 사용하여 짐승처럼 살아간다고. 그러니까 예컨대 도파 씨의 이성적 결정과 행동은 짐승보다 더 짐승 같다, 이거죠. 맞나요? 그것을 확인하고 싶은 거랍니다. 미선도 자신을 저버리고 성공의 에스컬레이터에 오른 남친의 이성적 결단을 맹수의 잔인성으로 표현했고요.

하지만 신이 비춰 준 천상의 빛이 어떻게 짐승보다 더 짐승 같은 삶을 살아가게 하는 요인이 되죠? 쉽게 이해되지가 않아요. 지적 사고의 훈련에 익숙지 않아서겠죠. 원래 어렴풋이 알고 있던 '이성'의 긍정적 측면과도 상치하고요.

할 수 없이 당신을 끌어낸 괴테라는 작가에게서 '이성'을 더 찾아보기로 했지요. 웬 쓸데없는 짓인지. 암튼 미션에게 이번엔 소설 작품을 부탁했지요. 우리 또래는『젊은 베르테르의 슬픔』을 읽지 않은 사람은 드물죠. 그 다음 소설 작품이라는『빌헬름 마이스터의 수업시대』를 펼쳤어요. 빌헬름의 출신이야 메피스토 당신이 더 잘 알겠지요. 베르테르의 철든 긍정자일까, 여전히 시민사회의 부를 버거워 하는 빌헬름은 이제 연극에 생애를 걸죠. 유전은 한 세대를 건너뛴다던가요, 유능한 상인의 전형인 부친이 아니라 예술애호가였던 조부의 피가 드러난 거군요. 마침 그 조부를 알고 있었던 한 낯선 길손을 만났을 때, 그가 빌헬름에게 들려주는 말이었지요.

이 세상이란 직물은 필연과 우연으로 짜여 있는데, 인간의 이성이 이들 둘 사이에 들어서서 둘을 지배할 수 있는 것이라오. 이성은 필연을 자신의 현존재의 기반으로 취급하고, 또 우연을 조종하고 지휘하며 이용할 줄 알지요. 그런데 다만 이 이성이 굳건히 흔들리지 않고 서 있어야만 인간이 지상의 신이라고 불릴 수 있는 자격을 지니게 되는 것이라오.

보세요. 다만 이성이 확고부동한 인간이라야 '지상의 신'이라고 불릴 가치가 있다는군요. 우연을 조종하지 못하는 인간은 비이성적인 저능한 인간이다, 뭐 그런. 그러니까 도파 씨가 빛나는 기회를 잡은 것 또한 이성적인 행동이고, 그러므로 가히 '작은 신'다운 인간으로서의 선택이다. 사랑 따위 어설픈 감성의 세계에 머물러 최적의 기회를 놓치는 것은 동물적 본능의 세계이고. 또 사전적 정의를 봐도 '이성이란 사물을 옳게 판단하고 진위와 선악 또는 미추를 식별하는 능력'이잖아요. 그러면 이성은 무조건적으로 긍정의 영역에 존재해야 맞지요.

그런데 괴테는 왜 여기서는 긍정적으로 저기서는 부정적으로 그렇게 헷갈리게 말했을까요? 악령인 당신의 입에서 나올 때만 부정적인가요? 지금 듣고는 있는 거죠?

말의 강도를 따라가다 보면 이런 건가요? 이성은 인간으로서 갖출 최소공약수이다. 다만 과도한 이성은 부작용을 불러올 수 있다. 이익을 추구하는 계산의 영악함과는 경계가 필요하다. 그럼 그 경계는? 그 경계를 어떻게 알 수 있나요? 아뇨, 그런 경계는 없더군요. 책 속의 문장과 현실의 괴리는 엄청나서 우리의 인식을 넘는 항성의 간격이죠. 잠깐만요, 숨 좀 쉬고요.

*

편지를 쓴답시고 이렇게 앉아 있자니, 돌덩이 가슴이 된다. 뭔가 육중하게 걸린 일이 한둘이 아니다. 내가 해 왔고 하는 일들은 내 나름 이성적인 판단에 의한 것이라고 생각해 왔었다는 사실에 놀란다. 누구라도, 나는 쉽게 틀리지 않는다, 라는 생각이 틀림없는 것인지.

나랑 결혼해, 괜찮겠지? 그렇게 가까운 소리를 흘려들으면서 나는 나무 위 새소리를 듣고 있었다. 괜찮겠지? 너 나랑 결혼하자고!

내가 선배의 목소리는 못 듣고 나무 위 지저귀는 새소리만 들었다는 사실, 그 확신이 바닥부터 요동친다. 가까이 옆에 서 있는 선배의 목소리를 전혀 듣지 못했고 먼 데 나뭇가지 위의 새소리만을 들었다는 느낌, 그 기억. 이 기억은 내 의식이 있는 한에서 회상하는 것에 불과할까. 내가 알고 있는 사실이자 내가 서술할 수도 있는 기억. 나의 의식이 개입된, 내가 그렇게 기억을 하고 싶어서 기억을 하는 형태일까. 그래서 소뇌가 아닌 해마에 저장된다는 기억.

하지만 난 정말 못 들었다. 나무 아래 함께 서 있었던 선배의 목소리는 잘 못 들었다. 하늘을 향해 내지르던 새소리만을 기억한다. 나뭇가지 꼭대기, 먼 데 새소리만 들었다. 그 순간 숨이 멎었다는 변명으로 설명이 가능할까. 두려운 무엇 때문이었을까. 청혼 그 자체, 결혼이라는 일에 놀랐을까. 그의 심한 청력 장애가 덜컥 걸렸나. 군대 간 첫해 사격훈련 중 총기를 잘 못 다루다 그리 되었다는, 심한 청력 장애였다. 캠퍼스 곳곳을 안 쳐다본 나무들 없이 함께 산책했던 우리. 꽃 이파리 하나하나를 모두 설명해 준 선배. 꽃만 피는 건 진달래, 잎과 함께 피는 건 철쭉이야, 개꽃이라고! 개꽃 따 먹다 죽으면 안 되지, 내 색시 하려면! 아, 숨이 막힌다.

사람들은 내게 의심의 눈초리를 보낼 게다. 나중에 나중에 미선한테 살며시 그 말을 했을 때, 미선도 나를 의심했다. 미선이 꿀 먹은 벙어리가 되었던 그때, 그 앨 위로할 필요 때문에 '우리도' 헤어졌다는 뜻으로 한 말이었다. 검지 둘을 세웠다가 살짝 합쳐 보이면서 말했다. 나란한 두 직선이 있어. 가까워져서 만나면 다음 순간 서로를 뚫고 지나가 버리게 돼. 상황은 오히려 나빠졌다. 미선은 나를 죄인 취급했다. 제 남자친구였던, 저를 떠나 속절없이 사라진 아무개랑 똑같다 했다. 다 같은 배신자라고 말하고 싶어 했다. 딱히 배신이라는 단어를 쓰지 않은 것은 그 애의 미덕이다. 미선에겐 미덕이 참으로 여러 가지인데도 야멸치게 배신을 당했다. 남친의 확고부동한 이성이 범인이었다.

아니, 이젠 미선 문제가 아니다. 선배의 말이 들리지 않았다고 믿는 나의 기억은 대체 무엇이었을까. 내 기억의 정당성과 타당성을 확보하려면 타자의 기억들은 자의적이며 인위적이라고 밀어붙여야 한다. 타자, 실제로 청력 장애를 안고 살아가는 선배는 내 우스꽝스런 장애를 어떻게 이해했을까. 나는 무조건 듣지 않았다는 기억을 고집한다. 그러고서 그 순간이 귀에 걸려 있음으로

해서 평생 귀앓이를 한다. 그 벌이다. 먼 데는 잘 듣고 가까운 소리들을 흘려듣거나 못 알아듣는 병을 앓는다. 하필 이비인후과 의사인 남편도 그냥 허허 웃고 있는 모양이다.

며칠 전이었다.

내가 주중에 한 나절씩 쉴까 봐요, 수요일 오후쯤. 산책도 하고.

무슨 소리예요?

우리 병원 피부과도 그래요. 그 양반이야 대단한 신자라서 그렇지만.

신자라서?

수요 저녁예배요.

저녁예밴데 오후부터 쉬어요?

준비도 하고 그러겠지요. 저녁예배 준비, 예 – 배 – 준 – 비 – 한다고요.

내가 또 헛듣는 기색이었나 보다. 남편의 말소리가 커졌다. 이비인후과 의사인 남편이 내 귀를 청력을 어쩌지 못한다니 속상하겠다 싶다. 처음에 이비인후과 전공의가 되었을 때는 내 이상한 습성을 알고 있었을 것이다. 내 청력을 걱정했던 것이 맞다. 오빠랑 함께 의대를 다녔으니까 당연히 알았을 것이다. 오빠가 도중하차하고 진로를 바꾸었지만, 계속 친구이니까. 결혼 후 이비인후과 의사도 내 귀를 어쩌지 못하는 것을 알고 나서는 세부 전공에서 귀를 포기했을지도 모른다. 처음부터 이비인후과 의사가 돕지 못하는 것을 알았더라면 그가 '잘 나가는' 과를 선택했을까? 가장 파리 날리는 전공이 이비인후과인 것 같아서 늘 조금 미안하다.

이비인후과 혹은 이비인후—두경부외과는 귀뿐만 아니라 코와 후두며 인두 그리고 두경부 질병을 관리하는 의학이랬다. 이만큼 범위가 엄청 많다는 것은 남편이 박사 학위를 받을 때에 알게 되었다. 학위 논문에는 가성크루프 운운, 일반인들이 전혀 알지 못하는 단어들이 나열되어 있었다. 아무튼 후두학이라고만 들었다. 인두보다도 더 아래 기도나 폐 쪽에 가까운 곳이라 해서 더 중요한 기관이라고 생각되었다. 이미 의사로서 활동하던 때였다. 하지만 그가 상대하는 환자는 이비인후 모두를 망라할 것이다. 박사가 아닌 부분도 진료하는 것이 의사들의 일이라고 생각할 때 조금 걱정도 되고 그랬다. 내가 왜 걱정을? 남편이라서? 그보다는 세상의 모든 의사들에 대한 걱정이다. 내가 좀생이라서 남 걱정이다. 오빠는 나랑 그런 좀생이 기질을 공유해서 의대를 포기했을 것이다, 아마. 그 문제로 이야기를 나눈 적은 없다. 오빠는 의대생 친구를 나에게 데려다 놓고는 진로를 바꾼 셈이다. 친구가 자발적으로 왔었는지는 모르는 일이다. 그 이야기도 나눈 적은 없다, 남편하고도, 오빠하고도. 왜 우리는 이야기 나누는 일이 적을까. 싸우는 것을 소통이나 이야기에 포함한다 해도 적다. 싸우지 않으니까 더 소통이 없다. 그래서 메피스토를 불러내려는가?

*

메피스토님, 아직 듣고 있지요? 낡은 노트북 꼬마 자판 위의 글씨들이 당신의 귓속으로 빨려 들어가는 이 느낌. 어떻게 내가 악령과 한패를 먹고 있을까 신기하기도 하네요.

세상은 사적인 고민에 빠져서 흐느적거리는 것을 용인치 않더군요. 지축이 울리면 어떤 시금석도 사라져 버려요. 나머지 대학 생활은, 그 시절의 대학 생활은 개인을 허용하지 않았어요. 대통령 시해라는 역사적 사건 속 술렁임으로 요동쳤지요. 서울 YWCA 집회에서 발표되었다는 거국민주내각구성을 촉구한 성명서는 우리 캠퍼스까지도 왔어요. 시위에 나선 학생들은 우리 대학만 해도 그때 수천은 되었을 걸요. 조기 개헌, 군대의 중립, 또 빼놓지 않고 어용교수 퇴진! 특히 교육지표사건 이후로 어용 문제는 심각했었죠. 수배자가 생겨나고, 구류에 재판에 넘겨지는 학생들. 미선 남친도 아슬아슬한 고비를 넘겼다 하더군요. 수배 중인 후배를 하룻밤 숨겼는데, 무사히 고향집으로 데려갔으니 망정이죠. 그건 전화위복이 됐어요. 홀어머니가 병중인 걸 보고는 짐 싸 가지고 내려갔더래요. 다음 봄 학기를 휴학했고요.

그렇게 졸업반이 되었죠. 우리들 몇은 정치를 워낙 몰랐었나 봐요. 이런 저항에 결국 군부가 약화되고 민간의 정치로 옮겨 가리라는 순진한 기대도 없지는 않았거든요. 웬걸, 서울역 회군(?)

이 갈림길이었다죠. 수천이 아니라 수만의 함성들. 하지만 일촉
즉발의 위기에서 의견이 갈렸다죠. 다음을 기약하자! 아니, 지금
멈추면 엄청난 보복으로 돌아올 거야. 신중론에 따라 흩어지는 학
생들, 사람들. 사흘 후 전국 동시다발을 기약하자!

　- 뭐라? 사흘 뒤 전국에서 동시다발로 나선다꼬? 요넘들! 비
상계엄 전국 확대다. 대학교 휴교령 내리고, 걸거치는 놈들 싹 다
잡아넣어! 가택연금 시킬 넘들 그카고!
　- 됐다, 마! 인자는 언가이 됐제. 어데, 광주가 들고 나선다
꼬?
　- 미친넘들, 아예 폭도의 이름으로 처단해뿌라! 거 불온세력,
빨갱이들 폭동, 그런 거 안 있나! 전국으로 확대되는 일만은 단디
막으라.
　- 모든 수단 동원하라꼬! 군은 자위권 발동인 기다!
　내 귀엔 지금도 이 모든 소리가 들려요. 상상이라고요? 어데!
뇌세포 어딘가에 저장되어 있다가 튀어나오죠. 그런데 서울역에
서의 후퇴 결정은 합리적 이성에 따랐던 게 맞나요? 공포 또는 비
겁의 산물이었나요? 잠정적인 소강상태 후 사흘 뒤 산발적으로
봉기하자! 약속은 약속이지만, 산발적 봉기 약속을 깬 다른 지역
은 결과적으로 이성적이었나요? 약속은 약속이다, 약속을 지켰던
이곳 학생들은 어딘가 부족해도 한참 부족한 비이성적 하등인간
들이었나요? 다가오는 극한 위험을 모른 채 행렬에 나선 그들, 사

라져 간 그들, 함께 스러져 간 광주 사람들.

그해 5월, 참 따뜻한 일요일이었죠. 미선은 일요일에는 알바를 더 하느라 꼴을 보기 어려웠어요. 집이 시내 쪽인 성주랑 둘만 만났지요. 영화를 볼까 하다가, 이 좋은 날에, 그러면서 버들가지가 나부끼는 천변을 따라 산책을 했지요. 느리게 걷는 사람들, 다리 아래 풀밭에서 나물을 뜯는 아주머니도 보였어요. 소만이 낼모레구나, 냉잇국을 끓여야겠네, 하시던 할머니 말씀이 생각났어요. 그날은 무등산 쪽으로가 아니라 물 흐름을 따라 아래로 내려갔었죠. 한참 걷다가 큰길로 올라왔는데 학생운동기념탑이 훤히 보이는 거예요. 담장이 있을 것이라고 상상했던 자리에 예쁜 창살 같은 철책만 둘러져서 얼핏 담장이 없는 것처럼 보였어요. 성주가 느닷없이 안에 들어가 보자 했어요. 기념탑에 새겨진 작은 이름들에서 제 할아버지 이름을 찾아보겠다고. 성주는 정말 깨알 같은 이름들을 짚어 보고 있었어요. 나는 그냥 잘 다듬어진 정원, 작은 바윗돌에 멍 때리고 앉아 있었지요. 곧 일어날 생각으로.

우당탕 탕탕. 길 쪽에서 사람들이 다급하게 달리는 발소리가 나요. 우르르 쾅쾅. 계속 달리는 사람들. 한 사람이 어느 가게 옆 좁은 문으로 사라지는 것이 보여요. 계단으로 올라가는지 하얀 셔츠의 뒷모습이 곧 사라져요. 모두 그쪽을 쳐다보고 있어서 들킨 건가. 뒤쫓던 군홧발들도 쿵쾅거리며 따라 올라가요. 아악, 내려오는 건 세 둥치인데 걷는 건 둘이어요. 가운데, 바닥으로 질질 끌려가는 새빨갛게 변한 셔츠의 뒷모습은……

어느새 시커먼 군복들이 담장 안쪽에 우글거렸어요. 성주와 나는 고개를 푹 숙인 채 힐끗거리며, 누가 먼저라고 할 것 없이 손을 꼭 잡고 교문을 빠져나왔죠. 대학 캠퍼스에 우르르 몰려든 전경들이야 수없이 봤었지만, 고등학교 애들이 있는 곳이잖아요. 게다가 총칼인지 뭔지 무장한 군인들을 마주치다니. 고개를 땅으로 처박고 길가로 붙어서 발걸음을 떼었어요. 조심조심 천천히, 도망가는 것이 아니라는 포즈를 강조하면서.

그렇게 한참을 걷다가 어떤 가게로 빨려 들어갔어요. 거기 사람들이 밖을 내다보고 있었는데, 먼저 우릴 끌었는지 우리가 먼저 들어갔는지도 모르게 아무튼 그리로 들어갔지요. 실뭉치가 가득 쌓인 가게였어요. 코바늘을 든 채 서 있는 아주머니도 있었어요. 여럿이요. 대학생들 큰일난당께. 어찌끄나, 어쯔고 집에 가끄나. 아주머니들도 떨고 있었어요. 한참 후 나올 때에는 아주머니 한 분씩이 따로 우릴 데려다준 댔어요. 묶은 머리를 대충 올림머리처럼 해 주시고, 커다란 비닐 봉투에다 우리 가방을 넣고는 뭔가를 구겨 넣어 부풀려서는 그렇게 들고 가라 했어요. 시장바구니 행세였죠.

그날 『장터의 스피노자』던가, 아이작 싱거의 단편집을 들고 나갔는데, 거기 놓고 왔나 봐요. 그 모사점에는 한동안 가지 않았죠. 필름이 끊긴 부분에 해당되었나 봐요. 몇 년 후에야 뜨개질 생각이 났고, 그 집엘 갔고, 책은 당연히 흔적도 없었고. 하긴 학생탑 근처 어디에 흘리고 왔었는지도 모르죠, 혼비백산했을 때. 다시는 그 책을 읽을 생각도 없이 몇 해를 지난 거예요. 노벨상 때문에 반짝했다가 곧 잊은 거죠. 대표 단편은 다 읽었었는데, 주인공은 철학 박사이면서 스피노자처럼 살기를 원했던 것 같아요. '이성의 완전한 인도를 받아서 살아가는 사람만이 자유로운 자이다.' 뭐 그런 말에 매료되었던 것도 같고. 다시 말해도 이성은 대단한 성질이죠, 우리 인간에게서. 너무 어렵지만요.

그 봄, 자연발생적으로 일어난 함성은 내란이라는 이름으로 진압되었죠. 새빨갛게 물든 셔츠의 뒷모습을 잊고, 잊으려고 하면서, 숨죽여 온 세월이 이성적이었을까요? 할머니가 계시던 우리 집은 그날 이후 대문부터 안에서 봉쇄되었죠. 다시 학교가 풀렸지만, 졸업을 하기까지 들고나는 시간에 애들처럼 초저녁 통금이 붙었죠. 여자애가 조신하게 있다가 결혼해야지, 하시며. 그렇게 살다가 결혼하고 엄마가 되고. 그렇게 보통으로. 딴전을 부리며 살아남기. 공포를 누르고 잊은 체하기.

몇백을 폭도의 이름으로 학살함으로써 전국의 안정에 기여할 것이라는 계산은 효과적이었죠. 겉으로는 안정되었으니까요. 죽은 자도 행불자도 '다만' 소수에 속했죠. 과외를 못 해서 휴학하는 학생들, 가난에 지쳐서 팔려 가는 공붓벌레들, 그래도 죽느니에 비하면 대순가요. 소수를 밟고 다수가 행복했으니 합리적 이성의 승리였나 봅니다. 못난 소수, 잘난 다수. 그런데 어쩌죠, 참상은 참상인 걸요.

못 믿을 손 이성이여! 메피스토 당신의 말대로라면 신이 천상의 빛이라고 준 것이 이성인데, 이성이 빛이 아닌 거네요. 이성의 이름으로 자행된 악덕 ─ 인간은 태초에 선한 존재이다가 필요에 의해 악을 수행하나요? 이성의 힘으로? 말도 안 돼요. 아, 숨 막혀…….

*

아직 거기 있죠, 메피스토님? 악령이라면 낮 시간 동안은 별로 할 일도 없는 것 아녜요? 세상에서 모든 지식을 섭렵하고도 오히려 우울과 자기 환멸에 빠진 또 다른 파우스트를 찾아가기엔 이른 시간이죠 뭐.

오늘 이야긴 사정이 좀 달라지네요. 인간에게 만일 언젠가부터 죄의식 같은 것이 싹터 있다면요, 부채 의식이랄까, 그런 경우요. 그건 이성의 작용으로 해결 가능할까요? 살다 보니, 얼결에 결혼도 하고 가끔은 깔깔 웃고. 그러는 세월 동안 죄의식인지 부채 의식인지 무엇인가 무거운 장막을 드리우고 있음을 깨달았네요. 원초적 외로움을 제외한다면 내가 너무 행복한 것 아닌가. 누군가를 '합리적' 그러니까 이성적 이유 없이 외면한 내가 행복해도 되는가. 그건 그저 사적인 잘못이라 쳐요. 이웃들의 불행을 불행이라서 참상을 참상이라서 깡그리 외면했으면서. 그런 죄를.

죄와 벌, 라스콜리니코프 같은 중죄가 아닐 때에는 뭔가 선한 행동으로 보속할 방법이 없을까. 죄를 지으면 절대자를 찾는다고, 신앙에 의지할까 생각도 했지요. 성당을 염두에 두고 알아봤어요. 입교식을 하고 예비자가 되어 일반교리지식과 미사참례예절을 배우고 익혀야 한다는데, 잘 해도 반년쯤은 걸린다더군요. 마지막엔 신부님과의 찰고라니 그건 좀 무섭고요. 성세성사라고 하는 것이 인류 전체에 관련된 원죄며 내가 저질렀던 본죄며, 그것이 내가 용서받고 싶은 것인데, 아무튼 모든 죄를 사함 받는다는 것, 대단한 일이긴 해요. 하지만 회개라는 말도 심각하죠. 나자신의 길에서 돌아서서 하느님의 길로 향한다?

아님 교회의 문을 두드릴까. 좀 더 편하지 않을까. 교회를 통해서 기본교육을 받는 건 같죠. 그런 후 신앙고백을 하고서 세례를 받고요. 신앙이 안 생긴다면 것도 큰일이죠. 또 교회들은 종류가 하도 많아서 교회의 바다에 빠지는 느낌이었어요. 기독교나 예수교나. 기장과 예장이라더니, 예장도 합동에 통합에. 우와, 합동과 통합의 차이를 잘 몰라서 국어사전을 찾았답니다. 얼핏 구별 못하겠더라고요.

합동: 둘 이상의 조직이나 개인이 모여 행동이나 일을 함께함.

통합: 둘 이상의 조직이나 기구 따위를 하나로 합침.

옳거니, 합동은 여럿이 함께, 통합은 하나로! 메피스토님, 당신은 한글을 알 리가 없죠. 아니, 마법적 능력으로 한글도 아시려나? 암튼 성서 어딘가에 '좁은 문으로 들어가라.' 그 비슷한 말씀을 얻어들은 풍월로 기억해 냈지요. '생명에 이르는 문은 좁고 또 그 길이 험해서 그리로 찾아드는 사람이 적다.' 뭐 그런. 그래서 숫자가 적은 기장 쪽으로 입문할까 하는 생각을 했었지요. 일단 예장이란 교회는 엄청난 숫자니까요. 그래, 좁은 문으로 들어가자. 기장이라는 표식의 교회를 찾아보았어요. 일단 내가 찾은 것만 세어도 셋이었어요. 어떻게 구별하느냐고요? 십자가 표식을 보면 되죠. 짙은 파란색 원에 왼쪽 아래 1/4은 보라색이고 경계선에 하얀색으로 '기' 자 표시되어 있으니까 금방 알죠. 십자가 이미지로는 예장합동이 맘에 들었어요. 신구약성서를 상징하는 듯, 책 모양의 파란색과 연두색 직사각형 사이에 하얀색 십자가. 성서를 초록색 두루마리로 나타내고 그 바탕에 빨간색 십자가는 예장통합이더군요. 두루마리가 하나인 것은 하나를 지향하는 것 같아서 그것도 좋더군요. 교회 속내는 전혀 모르니 피상적인 인상이죠.

교회를 찾아가는 것, 실은 그럴 용기가 부족했어요. 어떤 문도 두드리지 못했죠. 성서를 읽는 것으로나마 죄를 면해 보려고요. 비겁하지만 그쪽으로 맘을 정했죠. 성서 읽기는 인터넷이 좀 좋은가요. 허나 종류가 너무 많은 건 좀 힘들더군요. 하느님과 하나님의 다름은 마음으로는 이해할 수 없지만 머리로는 따라가죠. 여호

와와 야훼와 주와 주님과…… 아휴, 이건 너무 헷갈리죠. 성서 번
역부터 다름인지 다툼인지가 느껴져서 마음이 아팠어요. 서로 찢
어지잖아요. 어찌 되었건 성서를 가끔씩 읽는답니다. 좋아하는
찬송들도 생겨나고요. 악보도 쪼끔은 읽거든요.

　어때요, 메피스토님, 성서 한두 줄 읽는 것으로 죄책감을 덜
어 보려는 수작이라는 것이 결국 이기적인데, 나만 그럴까요? 일
반적으로 인간의 본성이 이기적 아닌가요? 당신도 은근히 성악설
에 기대는 거예요. '선한 인간이란 어두운 충동 속에서도 올바른
길을 잘 알고 있다.'고 믿는 '저 노인'의 성선설에 반대해서 내기를
건 것이니까. 사실은 종교가 성악설에 기초한 것 아닐까요? 뱀의
유혹에 넘어가서 선악과를 따 먹은 것을 타락의 원죄라고 하니 말
이죠. '그 나무 열매를 따 먹기만 하면 너희의 눈이 밝아져서 하느
님처럼 선과 악을 알게 될 줄을 하느님이 아시고…….'
　아니, 하느님은 인간이 선악을 알게 되기를 바라지 않으셨단
말인가요? 그렇담 하느님에게 인간은 무엇이죠? 하느님은 누구
를, 무엇을 창조하셨나요? 설마 우리는 하느님에게 반려인간인가
요? 신을 기쁘게 해 주고 가끔 위로해 줄지언정, 선악일랑 모르
는, 알면 안 되는 반려인간. '이제 인간아, 너희가 나처럼 선악을
판단할 능력이 생겼다면 더 이상 나의 반려인간이 아니니라. 나가
거라! 낙원은 끝이다!' 그로써 반려인간이 아닌 유기인간의 인생
이 시작되다, 뭐 그런.

우리 인간에게서도 반려견이 유기견이 되곤 한다죠. 그런데 반려견의 삶이 유기견의 삶만 못하리라고, 그건 우리 인간이 오해한 것일 테죠. 만일 어쩌다가 다음 생에 개로 태어난다면 나는 기꺼이 유기견이 되겠어요. 누군가의 반려견이 되어 재롱을 부리면서 살아가는 것이 진정 개의 삶은 아니죠. 주인처럼 손을 흔든다거나 입맞춤을 한다거나, 쥐어 주는 크레용을 들고 훈련받은 대로 뭔가를 그린다거나. 뭣 하러 본성에도 없는 것을 죽어라 연마하나요, 기껏 개 주제에.

바로 그런 이유로 인간으로 태어난 이번 생에서는 그냥 인간이고 싶군요. 겨우 자연의 일부를 먹어 치우다가 사라지는 존재, 그게 억울할 것도 없답니다. 권태를 달래 주는 장치들이 좀 많은가요. 세상 구경 나가지 않고 방구석에만 있더라도, 온갖 죄들이 난무하는 신화며 성서며 문학 작품들도 매력적으로 우리 곁에 있잖아요. 신도, 신들도, 위대한 인간들도 늘 방황하고 죄에 들곤 하더군요. 그러니 어리도록 젊은 날 누군가의 진정(?)을 외면한 것이 죽을죄인가요 뭐. 참상을 참상이라 인식하지 못한 것, 그건 좀 무거운 죄목인 것은 확실해요. 하지만 겁이 나서 모르는 체했을 뿐, 그로써 대단한 이익을 구한 것도 없고요. 굳이 죽을죄라면, 일신의 영달이거나 왕관의 탈취라거나! 타인을 밟고 오직 성공의 최정상을 향해! 실재하는 무소불위 권력을 향해! 합목적적으로! 어라, 어찌된 일이죠? 이성의 합목적성은 진정 선인가요? 악에 가까운 선?

세기의 악령인 당신을 불러내서 뭘 하고 있는지. 이성은 여전히 그 자리에 미덕인 양 서 있군요. 여기엔 제 허물이나 변명하는 맹한 인간이 투덜거리고 있을 뿐이고. 알아듣기나 하셨소? 언어라는 게 그저 뻔뻔한 수다에나 사용하는 도구로 전락했군요. 누군가 그랬죠, '언어는 생각의 하녀가 아니라 어머니'라고. 그런 걸 이렇게 함부로 써도 되는 것인지. 생각이 아니라 세 치 혀가 병통, 아니 손가락들이 병통이군요. 말은 소리가 아니라 이미지가 되어 흐르는군요.

어, 밖엔 비가 정말 왔었는지 실내 공기조차 축축하군요. 속절없이 날이 저무네요. 이제 어서 밤으로 날아가세요! 또 누군가 대단한 자를 유혹해 내려면 이번엔 어떤 무기를 사용하실까 궁금해집니다. 이런 오지랖, 평균도 못 되는 인간이 악령을 걱정하다니요.

발자국

어제가 죽어야 오늘이 있고,
매 순간 죽어야 매 순간 살 수 있다.

— 크리슈나무르티

발자국이 발단이었다. 그는 도처에 발자국을 남긴다. 거실은 그의 발자국으로 덮인다. 순식간이다. 밀걸레는 그 속도를 그 시간을 따라 잡을 수가 없다. 어쩌다 집에 있는 주말이면 더 했다.

아침밥은 해 먹여 내보내야사제! 귓속에 박힌 암호에 따라 평일 아침은 부산하다. 불려 놓은 쌀과 잡곡을 반반으로 섞어서 불에 올리고 17분이면 두 그릇 밥이 된다. 밥이 어렵지는 않다. 어려울 리가 없다. 반찬이 늘 문제다. 김치가 문제다. 맛있게 익었다고 생각되는 김치는 그에게는 시어 빠진 것이다. 신 김치에 유산균이 얼마나 많은⋯⋯. 알아요, 안다고요. 설이 지나면 김장김치는 들다 나다를 반복한다. 국물도 쉽지 않다. 아침상엔 필수다. 17분에 되는 국은 드물다. 저녁에 미리 끓여 놓을 때가 많다. 토장국과 맑은 장국을 가리는 편은 아니다. 어우, 국물 좋네! 입맛이 좋거나 국물 맛이 괜찮으면 늘 같은 감탄사를 낸다. 그 왜, 내 친구 있다고 했지, 대학에 있는 친구, 절대로 국을 안 먹는. 그 집엔 아예 국이라는 게 없대. 뭔 맛으로 밥을 먹을까.

그래요? 그렇담 그 집 아내는 얼마나 편할까, 하려다가 삼킨다. 그 아내도 국을 싫어할까. 웬 남 걱정! 우리 집 밥상도 엉망인데. 야채를 더 챙기기 시작한 뒤로는 국적도 없는 밥상이다. 우선 양배추를 채 썬 것, 껍질 벗긴 토마토를 한 개 먹는다. 오이나 사과를 먹기도 한다. 그러고서 밥을 먹는다. 수선스럽다. 나는 반대 순서로 먹는다. 어차피 함께 먹기는 어렵다. 누룽지와 숭늉까지를 가져와서 앉으면 그의 식사는 끝난 참이 된다. 숭늉은 본체만체 냉장고의 찬물을 들이켜고는 친절한 녹음기를 튼다.

오늘도 집에만 있지 말고요, 당신 아무튼 나가서 사람들 만나고 그래요. 에너지를 밖으로 내뿜는 게 중요해요, 우리 나이엔 특히. 날씨도 좋은데, 날씨가 나쁘더라도. 그건 날씨 따라 변형이다. 그가 그렇게 집을 나서면 시계는 다시 느리게 가기 시작한다.

일요일 아침엔 밥이 없다. 국도 해방이다. 선식이나 떡을 챙겨 쟁반에 차려 거실로 들고 나간다. 채소와 과일은 듬뿍 가져간다. 나도 따로 쟁반을 챙겨 거실로 나간다. 그러다가 눈에 띈 것이 발자국이었다. 그의 발자국이다. 더 일찍 일어난 그는 발코니 쪽 문을 열어 놓았다. 통풍이 중요해! 지론대로 창문 열기를 좋아하지만 요새는 약간의 변형이 있다. 미세먼지가 요인이다. 나는 미세먼지 주의보를 흘려듣지만 곧 알게 된다. 그가 창문을 열어 놓은 날이면 미세먼지가 양호하다. 문제는 발자국이다. 그이 생각으로는 발코니는 집 안이고 충분히 깨끗하다. 조금 덜 깨끗하다고 쳐도 잠깐 밟고 나가서 창문을 여는 정도로 슬리퍼 바닥이 더러워진다는 생각은 하지 않는다. 어떻게든 먼지며 물기가 있기 마련이고, 그러면 거실에는 발자국이 난다. 발코니에서 거실로, 거실에서 화장실로, 심지어는 안방에까지도. 그날도 마찬가지. 쟁반과 팔 사이로 힐끗 거실의 발자국들을 보고야 말았다. 쟁반을 서둘러 내려놓고는 바로 밀걸레를 들고 나선다. 그이는 살짝 찡그린다. 음식을 두고 걸레질이라니, 병이다, 병. 아니면, 발자국 따라다니는 것 징허네. 속으로 그럴 것이다. 내 눈에는 발자국들이 줄을 잇는다. 투덜거리지 않을 수 없다. 하지만 다문 입으로.

아침이 그렇게 끝나고 부엌을 나선다. 아차! 다시 보이는 발자국! 이번엔 여러 갈래는 아니다. 그래도 또 나 있다. 화장실에 들어갔다 나왔을 것이다. 내가 결혼식에 갈 일이 있어서 느긋한 호사를 부릴 수도 없던 차였다. 시계를 쳐다보면서도 걸레질을 지나칠 수가 없다. 다시 거실 바닥을 줄줄이 닦는다. 나도 모르게 시끄러운 소리를 내며 닦는다. 참지 못하고 그이의 슬리퍼를 잡아

벗기는 상상을 한다. 이렇게는 안 돼욧! 그 일이 실제로 임박했음을 느낀다.

머리에서 클립을 풀고 대충 옷을 챙겨 입는다. 결혼식장에 입고 가는 옷이야 뻔하다. 적당한 길이의 치마에 적당한 크기의 재킷을 입는다. 검정색을 피해서 적당한 색깔을 입는다. 적당, 적당, 적당.

나도 나갈 거라 했죠. 밥 잘 먹고 천천히 와요.

벌써 뉴스 채널에 빨려 들어간 남편이 손만 쳐들고 흔든다.

살짝 늦었다. 어머니들이 카펫을 밟고 있었다. 신랑 신부에 앞서 누군가가 새하얀 카펫을 밟는 장면은 늘 보아도 적응이 안 된다. 주례도 없는 것이 요즘 유행인지, 서로 사랑 고백을 하고 선서를 한다. 간지럽게 감상에 젖은 꼴들이라니, 내가 외려 부끄럽다. 예식이라기보다는 예능프로 진행 같은 사회도 머리를 아프게 한다. 뒷줄에 끼어 앉은 것이 다행이다 싶었다.

우르르 뷔페 음식으로 자리를 옮긴다. 사람들도 그 편을 선호하고, 취사선택이란 어찌 보면 합리적이겠다. 하지만 아무리 서로 닿지 않게 하려 해도 몸은 부딪게 되고, 접시 안에 섞이는 음식들도 문제다. 1라운드로 찬 것, 다음엔 따뜻한 것 그리고 후식. 못해도 세 번은 들락거리게 된다. 수만 가지가 차려져 있으니 먹고 싶은 것을 골라 담기 위한 탐색전은 필수다. 둘러보다가 벌써 지친다. 막상 가져올 때는 가짓수를 줄이려고 노력한다. 한꺼번에 너무 여러 가지를 삼키면 맛을 알 수가 없다.

맞아, 『소박한 밥상』은 레시피가 있는 요리책이 아니라, 간단하게 먹자는 설교집이야. '식사를 간단히, 더 간단히, 이루 말할 수 없이 간단히, 빨리, 더 빨리, 이루 말할 수 없이 빨리 준비하자. 그리고 거기서 아낀 시간과 에너지는 시를 쓰고, 음악을 즐기고, 곱게 바느질하는 데 쓰자고요.' 숲속에서 손수 지은 집에서 살아가는 중년노년 부부의 이미지가 올곧이 떠오른다. 헬렌은 바느질도 스스로 했겠지. 손으로 여러 겹 덧대어 꿰맨 재킷을 입고 있는 니어링 씨의 사진이 남아 있다. 필요한 만큼 자급자족하면서 더 많이 일하지 않고 그냥 삶을 즐긴다. 축적하기 위한 노동을 하는 대신 그냥 사는 일에 충실한 삶, 어떻게 그것이 가능할까. 21세기에도 가능할까. 옆자리 사람들이 일어나는 데 맞춰서 덩달아 일어선다. 급히 마신 커피가 너무 뜨거웠는지 입안이 얼얼하다.

그이는 집에 없었다. 어머님 댁에 갔을지도 모른다. 혼자서도 가끔 어머니한테 들르는 효자다. 평소처럼 다시 혼자인 오후다. 대충 씻고 나니 개운하다. 아직 햇살이 좋다. 발코니에 무슨 바쁜 볼일이 있어서 그리 슬리퍼도 못 갈아 신고 드나들며 발자국을 남겨 놓는지 살펴보기로 했다. 하나도 아니고 둘, 발가락이 터진 놈과 막힌 놈, 두 개의 바깥 슬리퍼가 있는데 왜 갈아 신지 않을까. 나는 앞이 막힌 놈을 신고 나가서 이리저리 살핀다. 어라, 풀꽃이 내팽겨져 있다. 푸르스름한 풀꽃. 어디서 뽑힌 걸까. 진달래분에 덜 뽑힌 나머지가 있다.

작년에 아버지 산소에 갔다가 달랑 혼자서 핀 진달래를 보았다. 분홍빛이 파리하기까지 했다. 무리와는 멀리 떨어진 채 흔들리는 참꽃이 애처로워서 파 오기로 했다. 마침 과일칼이 있었다. 뿌리가 그리 깊지도 않았다. 그땐 풀꽃은 없었는데, 풀씨가 묻어 온 것일까. 올해 피어나서 흙이 덮이다 말다 한 모양새로, 뽑힌 놈들은 뽑히고 남은 놈들이다. 아이쿠, 봄까치꽃이다. 이른 봄 진달래랑 함께 피는 풀꽃.

진달래는 뭐고 철쭉은 뭐야? 둘 다 분홍색에…….

내 색시 하렸는데 안 되겠네. 참꽃 개꽃 모르면 어떻게 해. 이거 봐, 이렇게 홑꽃이면 참꽃이야, 진달래. 수채화 같지, 화전도 해 먹고. 하지만 개꽃 따 먹고 죽지 말아.

피이, 누가 색시 한댔나!

여기 요 파르스름한 게 봄까치꽃이야. 요걸 큰개○○꽃이라고 했다니, 이름 한번 험하지? 열매가 맵다 커서 그랬다지만 너무했지. 심한 이름들은 여럿 순화됐어. 문제는 사전엔 아직 안 바뀐 것 같아. 영어로도 되게 이쁘다. 버즈 아이, 어때, 새의 눈 같아? 학명도 이뻐, 이쁜 여자 이름이야, 베로니카 페르시카. 이 납작한 거꿀심장꼴에 푸르스름 그림자를 띤 하얀색. 듣고 있어? 남이야, 남아!

거꿀심장? 하트 모양 거꾸로?

말은 대충. 나는 풀밭에서 푸른 기운이 도는 그 네잎클로버 모양의 꽃들을 한 없이 바라보고 있었다. 그냥 네잎클로버잖아. 어떻게 꽃잎이 네 개일까.

아니, 꽃잎이 네 장인 걸 첨 봐? 개나리도 몰라?

개나리 꽃잎이?

그럼, 완전 네 장이지. 설마 개나리 그리면서 꽃잎 다섯 개씩 그렸어? 통꽃 중간부터 넷으로 짝 갈라져서 정확하게 십자 모양인걸. 녹색 꽃받침도 넷으로 갈라져 있고. 십자화과 식물들이 다 그래.

난 무심코. 누가 개나리를 하나하나 들여다보나?

응, 실은 십자화들도 많고 많은데 그냥 지나쳐서 모르는 거야. 노란색 꽃다지 알지? 냉이랑 아주 비슷한 노란 풀꽃, 다 먹는 풀들이야. 그러고 보면 냉이는 실은 이름이 없어, 나물이라는 뜻이거든. 먹을 수 있는 풀들, 우리가 즐겨 먹는 채소들 대부분 십자화 종류야. 배추꽃, 갓꽃, 유채꽃 다 비슷비슷해. 뭐가 섞여 있어도 잘 몰라.

우와, 그런가. 배추는 배추 무는 무만 알았지, 꽃 필 때를 봤나.

그때 나는 좀 부끄러웠을까. 화단에 피어 있는 분꽃이나 맨드라미는 알았지만, 과꽃도 초롱꽃도 이름들을 알았지만, 풀꽃들은 이름을 상상도 안 해 보았다. 봄까치꽃이라고! 배추꽃, 무꽃도 있구나. 그래, 뿌리가 중요해도 꽃들이 먼저다. 연근을 먹지만 연꽃이 훨씬 더 아름답지 않던가.

선배는 내가 바보 같았을까. 시야가 좁아터진 맹꽁이, 젊다 못해 어린 그 시절 나는 아는 게 없었다. 지금이라고 그리 나아진 건 없겠으나, 적어도 배추꽃 무꽃은 구별한다. 오묘한 무꽃들이라니. 그리고 하나 더. 봄까치꽃이라는 단어만으로 깊은 상념에 잠기기도 한다. 흉측한 이름 대신 봄까치꽃이라고 부르라 당부하던 선배는 어디만큼 가 있는 것일까.

나는 진달래며 봄까치꽃을 보면 살그머니 가슴이 아프다. 나랑 결혼해, 괜찮겠지? 나중에 선배가 정작 그렇게 말했을 때, 나는 그 말을 듣지 못했다. 나뭇가지 꼭대기, 먼 데 새소리만 들었다. 새소리를 따라 하늘만 쳐다보았다. 놀라서, 부끄러워서, 대답을 몰라서 그냥 못 들었다. 숨이, 숨이 막혀서 아무것도 듣지 못했다. 그것이 끝이었다. 남아, 나랑 결혼하자고! 선배는 더는 그렇게 말하지 않았다. 말할 시간도 없었다. 나는 그저 슬슬 피해 다녔다. 새의 모습도 기억하지만 무슨 소용인가. 모양은 참새지만 훨씬 큰 새. 그땐 몰랐지만 이젠 이름도 안다, 직박구리. 울음소리가 너무 큰 새. 울음이 아니라 말소리였겠지. 무슨 말이었을까? 청혼이었을까? 그놈들은 지금도 그런 찌익 찌익 소리를 내며 아파트 하늘을 누빈다. 직박구리 울음소리는 내 가슴을 아프게 한다.

발자국 원인을 탐색하다가 웬 꽃 타령인가. 진달래에 묻어왔다가 뿌리 뽑힌 봄까치꽃을 어쩌나. 바깥 풀밭으로 보내야 할까. 주먹 안에 가만히 쥐고 아파트 화단으로 나간다. 반 토막이 난 동백나무 앞을 서둘러 지나친다. 겨우내 몰랐었는데 일전에 꽃봉오리가 맺혀서야 주저앉은 동백을 보고서 놀랐다. 관리소 아저씨 말이, 새로 이사 온 1층 사람들이 그늘진다고 가지들을 다 쳐 내라고 했단다. 아무런들 우아하게 자란 굵은 동백을 저렇게 잘라 버리다니 너무 허망했다. 안쓰러운 동백나무를 피해서 이 풀꽃을 멀리에 심어야겠다. 꽃잔디 무리도 지나친다. 눈부시다 못해 눈이 상할 것 같은 현란한 색깔에 이 여린 놈들은 묻히고 말 것이다. 아파트와 아파트 사이 공간, 살짝 그늘이 지는 쪽 흙을 파고 묻듯이 심는다. 선배는 봄까치꽃을 두해살이식물이라고 했던 것 같다. 올해 핀 이것들이 살아 견딘다 해도 내년엔 꽃 피지 않을 것이다. 푸르스름한 꽃망울이 피어나는 것을, 내후년 봄을 기다릴 일이 하나 생겼다.

　그늘이 생긴다. 그이가 서 있었다. 아파트 출입문으로 들어서기 전에 화단에 쪼그린 나를 보았나 보다.
　뭐하고 있어요?
　아, 풀꽃.

풀꽃을 뭐하는데?

당신이 버린 것들 여기서 크라고요.

내가 뭘 버려요? 풀꽃이라고? 풀꽃이 크기는 크는 건가?

그냥 살아 있으라고요. 대대로.

실없기는. 들어가요!

설마 그이가 부러 버린 건 아닐 게다. 그럴 이유를 알 턱이 없으니까. 내 눈은 뒤를 향한다.

그렇게 봄까치꽃은 해마다 이사를 했다. 오늘도 직박구리 녀석들이 울어 댔다. 나도 올려다보았다. 이 동네 나무 위에서 태어난 녀석들의 후손이 틀림없다. 해마다 돌아오는 것을 보면 그렇다. 놀랍게도 경칩 다음 날이던가, 아직 너무 이른 철에 어찌나 시끄럽게 울어 대는지, 우리 왔어요, 라고 떠드는 것 같았다. 아파트 뜰 안으로 들어온 나를 따라 온다고 느낄 정도였다. 내 앞을, 내가 가는 길을 앞서서 날며 나무를 옮겨 다녔다. 순식간의 일이었다. 그러더니 며칠을 잠잠했다. 내가 헛들었었나 의심이 들 정도로. 이제 직박구리들이 봄까치꽃을 보았으니 이태 후에도 알아봐 줄는지 모른다. 불쌍한 봄까치꽃이 살아나기만 한다면 알아볼 것이다. 내가 그들 직박구리를 못 알아본다고 해서, 그들이 나를 알아보지 못할 것이라거나 봄까치꽃을 알아보지 못할 것이라 단정할 수는 없다. 설마 새들인데, 저들이 반가움 또는 기쁨이나 슬픔을 모를 리 없다.

하늘을 올려보면서 발은 그를 따라 들어온다. 그이가 번호키를 누른 다음에 나를 앞세운다. 나는 다시 현관을 살핀다. 흩어진 신발들을 가다듬고, 현관문을 확인한다. 오늘은 마감이다.

그런데 당신 일찍 들어왔네. 시간이 아직 되니까, 옷 입은 김에 영화나 보러 갈까요?

영화 안 좋아하면서요. 나도 나갔다 와서 피곤하고요.

꼭 좋아하는 것만 하나?

일이라면 몰라도 여가생활인데 좋아하는 걸 해야죠! 일도 좋아하는 걸 해야…….

아차, 말을 내뱉고 보니 걱정이다. 그이가 이비인후과 의사 일을 좋아할까. 겁이 난다. 내 이상한 청력 때문에 이비인후과를 택했을 거라고 생각하면 늘 미안하다. 내가 전원이 끊겼다 말았다 하는 것처럼 말소리를 들었다 못 들었다 하는 병을 앓기 시작할 무렵 오빠와 그이는 의과대학생이었다. 아니, 오빤 벌써 그만두었을 때였나. 아무튼 모두들 나를 걱정했다. 내가 회복이 됐더라면 덜 미안할 수도 있다. 이비인후과 전문의 실력으로도 내 청력을 회복시키지 못하니까 후회할까. 나를 위해서였다면 정신신경과를 택했어야 했다고 고개를 갸웃거릴까. 뭐야, 이건! 하고서, 나를, 내 상태를 진작 실망했을까. 오빠가 의과대학을 집어치운 것과 함께 묶어서 이상한 집안과 엮였다고 땅을 칠까? 아버지로 유지되던 집안은 기울었고, 오빠로 기대되던 집안은 서지 못했다. 게다가 이비인후과는 잘 나가는 과가 아니다. 정신신경과를 했더라도 인기 없기는 마찬가지일 것이다. 차라리 근년 들어 이비인후과에는 성급한 감기 환자들이 몰려서 조금은 나을 거라 위안해 본다. 감기가 들면 낫기까지 시간이 걸리는 것을 요즘 사람들은 참지 못한다. 감기라고 그러면 시원찮고, 비염에 걸렸다고 믿고 싶어 한다. 기관지염 같은 것은 위험한 병인데도, 목감기보다는 기관지에 염증이 있다는 말을 더 듣고 싶어 한다. 질병친화적인 민족? 병에 관해서 잘 알고 여러 종류의 많은 약을 먹고 있어야 안심인 사람들. 덕택에 의사와 가족들이 굶는 일은 드물다.

가볍게 산책이든. 일요일 오후인데. 그러니까 나가요, 안 나가요? 난 그럼 씻을 테요.

그는 내가 대꾸를 않자 욕실로 향한다.

〈그랑드 자트 섬의 일요일 오후〉를 떠올린다. 센강 주변의 전원 속, 잔뜩 멋 부린 파리지앵들의 휴식처인가. 애 손 잡고 산책하는 아줌마, 풀밭에 누운 아저씨, 뛰어다니는 아이들, 강아지들. 수십 명 사람들을 수만 개의 점으로 그렸다는 게 신기하다. 만일 쉬라가 지금 살아 있어서 '지구 섬의 일요일 오후' 같은 걸 그린다면 우릴 겨우 하나의 점으로 그릴까. 혼잣말은 어차피 발화되지 않는다. 나는 듣기만 잘 못하는, 안 하는 것이 아니라, 말도 잘 못한다, 안 한다. 그게 뭐 문제인가.

야아, 오랜만에 달걀을 했네요. 우리 이제 달걀을 먹는 거네.

저녁 밥상에 앉은 그이 기분이 좋다.

뭐, 아예 안 먹는 것도 아니잖아요.

맘 편하게 먹자고요. 어차피, 어, 명란도 넣었어요? 왜 맘이 바뀌었는데요?

뭘 바뀌었다 그래요. 그때그때 그냥저냥 뭐.

아아니, 나는. 나는 당신이 편안해지면 내가 두 배로 편안해져서 말이요. 뭘 해 놓고 안 먹으면 불편해서. 무엇이든 함께 먹는 쪽으로 갑시다. 어차피 인명은······.

인명은 재천이라고! 알았어요. 누구 또 비명횡사라도?

늘 그렇지 뭐. 아는 사람은 아니고. 병원의 일상인 걸요. 정형외과 환자 하나가 패혈증으로 갔어요. 내과로 트랜스퍼 될 때는 늦기 십상이지. 뭐 새삼스런 일도 아니요. 한 원장이 혼났어요.

의사가 혼났다고요? 환자는 죽었는데, 의사가 혼났다고요? 죽은 사람도 있는데 혼난 것이 대순가? 속으로만 내뱉는 말이다. 소리가 없으니 말이 아닌가? 말은 다르게 나간다.

벨기에랑 덴마크도 이제 수습되었겠죠?

뭐, 돼지인플루엔자? 청정지역이 있을까마는 문명화된 지역은 다 오염지역이요. 어설픈 문명국이 더 문제고. 우리, 중국······.

중국도 우리랑 비슷할까요?

알 수 없지, 넘 거대한 덩어리라서. 그런데 달걀하면 중국 아뇨. 살충제 문제는 저리 가라지. 가짜 달걀, 아니 인공 달걀이라나, 그걸 만드는 학원도 있다잖아요.

중국 가서 달걀 먹을 일은 없고요.

당신, 돼지고기는 절대로 안 먹을 거요?

앗, 또 그 이야기. 인터넷에서 너무 끔찍한 사진을 봤다니까요! 돼지가 창살을 물어뜯고 있었어. 입에서 피가 날 지경. 피를 흘리고 있었다고. 그런 독기가 어디로 가. 잡아먹는 인간들에게 들어가서 독이 퍼질밖에. 그래서 돼지플루가…….

걱정도 참.

걱정도 팔자라고, 못 말린다고! 그래요, 내가 심할지도 몰라요. 하지만 참을 수가 없는걸요. 세상에, 한 공장에서 닭오리 100만 마리를, 돼지 2만 마리를, 소 3천 마리를 창살에 가두어 놓고 키운다고 상상해 봐요. 상상이 아니라 현실이라니까요.

본 것은 아니잖아, 그만 눈 감아요.

눈 감으면 더 생생하죠. 보도가 됐으니 사실이죠. 2,000㎡ 헛간마다 4만 마리 넘는 닭을 키우는 농장이랬어요. 농장에서 200m가량 떨어진 곳에서도 하루 종일 코를 찌르는 악취 때문에 집 밖으로 못 나온댔어요. 2,000㎡면 600평인데, 600평에 4만 마리면, 가만, 계산해 보자, 150평에 만 마리, 15평에 천 마리. 15평에, 아이쿠, 15평 아파트를 생각해 봐요, 거기에 닭이 천 마리가 우글거린다고! 우리 집이면 2천 마리가 넘게 꼬꼬댁거리겠네! 으악!

무슨 그런 상상을! 병아리 한 마리도 키우자고 안 할 테니 참아요, 참아!

생명이 있는 존재는 인간이나 마찬가지로 그 생명이 중하다고 믿기 때문에 채식주의자가 된 사람들 있죠. 내가 그렇다는 게 아니라. 나를 살리고 강하게 만들고 건강하게 하기 위해서 동물의 죽은 몸이 필요하지는 않다고, 그렇게 말하는 사람들 있어요. 내 음식을 위해서 살생은 하지 않겠다, 뭐 그런.

거야 새로운 말도 아니고 불교에서는 옛날부터 그러는걸. 서양 사람들이 말하면 뭐 특별해지는가. 당신 그 『소박한 밥상』에 빠진 이래 내가 피 보는 것 아뇨! 숲에서 살았다는 그 사람들, 가진 돈도 좀 있고, 유식해서 책도 쓰고, 원래 유복한 환경에서 자라서 기본적으로 건강했고. 뭣이 문제였겠소! 스콧 이어링인가 니어링인가, 그 사람 반전이다 친평화다 해 봤자, 결국 공산주의자 아녔나! 그러니 대학에서 퇴출당했고, 오죽하면 스파이 혐의를.

어, 내 책들을 봤어요? 언제?

내 책 네 책이 어딨어요. 집에, 탁자에 있으니 봤죠. 좋은 머리로 미래를 내다봤는지는 몰라도. 그래 봤자 온 사회가 배척했으니 죄인 취급할 만해서지, 근거 없이 그랬을까.

무슨 말예요? 혐의라는 것 그게 어때서요, 엮으려다 엮으려다 안 돼서 무죄판결이면 무죄죠.

머리가 지끈거렸다. 귀도 따라 운다. 맙소사, 이이도 여론재판을 거드는 것이야. 여론재판에 휩쓸리는 것은 지식인이 할 일은 아니지. 하긴 의사가 곧 지식인은 아니다. 또 지식인들이 외려 여

론재판에 앞장서기도 한다. 기득권을 양보하지 않으려고 별짓을
다 하는 게 지식인이다. 의사들이나 지식인들이나 싫어진다. 싫
다. 이런 말도 섞기 싫다.

나는 어떡하다가 당신 완전 비건이 될까 걱정이요!

비건, 비건. 헬렌 니어링의 말을 듣고 있다. 들려온다.

'소박한 밥상, 그래요, 육신에 영양을 공급하기 위해서 식사할
뿐, 미식에 빠지지 않은 검소하고 절제하는 사람들을 위해 책을
썼어요!', '나는 30분 이상 걸리는 음식을 만들지 않는답니다. 가
루를 섞어 반죽하는 대신 가루에 뜨거운 물을 붓고 10분 15분 끓
이면 맛좋은 음식이 되는데, 뭣 하러 두어 시간씩 걸려서 빵을 구
울까? 사과 파이보다는 사과 소스나 사과를 날것으로 먹자. 감자
를 먹으려 한다면 튀기거나 으깨려고 소란스럽게 쓸 것 없다. 튀
기거나 으깨는 것은 불필요한 일이다. 감자를 씻어서 오븐에 넣고
구우면 끝.'

헬렌은 유식하기도 했다. 어떤 음식을 좋아하냐는 물음에 헨
리 데이비드 소로우는 '가장 가까이 있는 것'이라고 대답했다는
사실, 그런 것도 안다. 먼저 자연 속 홀로서기를 실행했던 소로우
의 글이니까 당연히 읽어 봤겠지. 『우울의 분석』을 쓴 17세기 어
떤 사람은 '배설물을 만들 것에 뭣 하러 마음을 쓰느냐.'고 했다는
것, 그런 에피소드까지도 안다. 아침을 조리한 적 없고, 명절의

번잡함 속에서는 오히려 단식을 하고, 부엌에 오랜 시간 처박혀 있는 대신 음악과 책을 가까이한 덕택일까?

'난 날 때부터 채식인이었어요. 도축한 고기는 음식을 만들어 먹는 것은 고사하고 막대기를 들고 건드리지도 않을 거예요.' 헬렌의 말은 좀 심하다, 편파적이랄밖에 없다. 실제로 구운 고기는 만인의 희망사항이라는 글도 있었다. 어디선가, 누군가의 브런치였던가, '구운 비둘기가 널려 있는 놀고먹는 세상을 꿈꿀 때, 그런 곳에서라면 우선 만인이 동등하며, 유복하며, 수고도 노동도 없을 것'이란 에른스트 블로흐의 구절을 소개해 놓은 글을 본 적이 있다. 블로흐의 글은 무척 어렵지만, 또한 늘 인상적이다. 여기선 왜 하필 구운 비둘기일까, 암튼 만인이 원하는 것이 채식은 아닐 것이다.

그런데 이 남편, 스콧 니어링은 철학적 채식주의자다. 두 사람의 『조화로운 삶』을 읽지 않을 수 없었다. 숲속의 자립, 그런 삶을 설계했다는 자체를 이해하고 싶었다. 그가 말한 경제공화주의 따위 어려운 개념들은 기어코 인터넷을 찾아서 읽었다. 기회 균등, 시민의 의무, 민주 정치, 인권 – 이런 기본적 민주개념을 말했다는 이유로 재판에 넘겨졌다고? 필화사건은 동서고금 어디서나 같구나. 헨리 조지라는 이름도 찾아보았다. 스콧 니어링이 스승으로 삼았다 해서였다. 이름만으로는 대대로 영국 왕인가 싶었는데, 왕들하고는 완전 딴판이었다. 토지공개념이라니, 책 제목도 찾아보았다. 『진보와 빈곤』, 130년 전에도 대단한 사람이 있었구

나. '노동생산물은 생산자에게 소유권이 있어 마땅하고, 자연에서 주어진 땅이라거나 숲, 크게 보아서 환경 전체는 누구의 것도 아니다.' 나도 쉽게 이해할 수 있는 이 분명한 말에 세상은 왜 귀 기울이지 않았을까. 이 간단한 말을, 이런 말을 하는 사람들이 정치를 해야…….

나, 나 좀 봅시다. 또 어디에 가 있어요? 책 속? 인터넷 속? 생각하고 있는 것을, 생각나는 것을 그냥 말로 해요. 내뱉으라고요. 음식은 조금만 많아도 못 삼키면서 머릿속엔 뭘 그리 삼켜 두고 있는지.

노려보는 눈이 말한다. 내가 뭘 또 안 들었다 보다. 헛듣고 있는 것을 또 들켰다.

나남이 씨, 뭐 하나고요! 그러니까 돼지고기는 절대로 기대하지 말라고? 오늘 달걀이라도 내놓았으니 감사해야 하나? 해도 달걀찜은 좀 구식인걸, 어머니 하시던 것 고대로요.

'튀기기보다 끓이기, 끓이기보다 굽기, 그보다 찌는 것이 낫다. 가장 좋은 것은 날것으로 먹기.' 나는 여전히 헬렌의 소리를 듣는다. 날것으로…… 물론 야채와 과일 말이다. 태생이 채식인이라서 브라만을 만날 수 있었을까? 유럽으로 바이올린 공부를 하러 갔던 젊은 날 헬렌의 처음 상대가 크리슈나무르티였다니!

선배는 그때 저자의 이름을 읽기도 어려운 얄따란 책을 들고 있었다. 바람 불던 날, 캠퍼스 내 작은 호숫가 언덕이었다.

읽어 볼래?

뭔데요? 『아는 것으로부터의 자유』라고? 아니, 뭐든 알려고 대학 다니는 것 아닌가? 알지 말라니. 어지럽네.

자유란 모든 권위의 부정으로부터 시작하며, 권위의 부정은 두려움의 해방이라고 했어, 독특해. 읽어 봐! 지난번 시집 『고통의 축제』, 그 시인이 번역했다니까. 함께 구원받고 싶어서 번역을 했다네. 혼자만 구원받는 건 구원이 아닐 것 같다고.

구원씩이나.

어두운 연둣빛 책자는 얼핏 시시해 보였다. '어제가 죽어야 오늘이 있고, 매 순간 죽어야 매 순간 살 수 있다.' 뒷면에 그런 비슷한 말이 쓰여 있었던 것 같다. 결국 읽었지만 남은 건 별로 없었다, 너무 어려워서. '자유란 처음부터 있는 것이고 얻어지는 것이 아니다.'라는 말, 그런 구절은 뭔가 가슴 철렁하니 좋긴 했다.

그나저나 책으로 볼 때는 사람과 신 중간쯤 되는 존재 같았던 그 사람, 그런 '세계의 지도자', 터무니없이 영적인 사람과 사적인 인연이라니, 헬렌이라는 사람 참. 하긴 현실적으로 그녀가 택한 것은 고향 미국, 스콧 니어링, 숲속의 자연스러운 삶이었다. 실제로 매우 독립적으로 '좋은 삶'을 정하고 그대로 '살아간' – 리빙 – 대단한 사람들이다. 아는 것으로부터의 자유 대신 아는 것을 살아간 사람들, 이 의지의 사람들이 존경스럽다. 관습으로 재단된 숙제 같은 삶을 살고 있는 나는 의지란 무엇인지 가늠할 길이 없는데.

'대충 말고 철저하게 살자. 부드럽게 말고 단단하게 먹자. 음식에서도 생활에서도 견고함을 추구하라.' 헬렌의 이런 구절에 정말 덜컥 걸렸다. 단단함, 견고함, 그게 정확하게 뭘까. 애매하고 궁금하여 내가 어떻게든 영어 원문을 찾아보았다면 누가 믿을까. 누구라도 믿어야 할 필요는 없지만 나는 정말로 그 구절을 찾아보았다. 소프트, 하드, 파이버. 내 멋대로 이해하자면, 그냥 단단함을 표방하는 것이리라. 음식과 생활에서 섬유질을 추구한다. 파이버, 원래 섬유질이란 말이지만 근성이나 정신력 같은 뜻도 있었다. 음식과 생활에서 근성을 추구한다. 정신력을 추구한다. 단단함을 추구한다.

어쩌나, 달걀찜은 단단함과는 완전 거리가 머네.

무슨 말요. 달걀찜이 부드럽지 그게 어때서요. 찜이 찜이지.

그런가. 간이 괜찮나 보세요! 싱겁게 싱겁게 하려니 맛도 없는 것 같아요.

맛있지. 내가 길이 들어서 그런가, 남이 씨 밥상 사랑합니다.

사랑씩이나.

왜 이러세요, 맛있다는데. 좋아요, 오늘은 명란이라, 다음엔 알새우일까 기대되네. 사실 우리가 목포갈치, 흑산홍어, 무안낙지, 그런 것 빼 버리면 뭔 맛으로 사는가요. 가덕대구 추가요, 고니 한 그릇 쏟아지는 대구 정도는 돼야! 남이 씨, 나남이 씨, 하늘 같은 남편 좀 봐주세요!

알았어요, 맨날 하잖아요.

우리라니, 혼자서 말하면서. 하늘, 하늘은 또. 하늘이면 모르는 것이 없겠구만. 이이는 내가 『소박한 밥상』을 보기 훨씬 전부터 피하는 식재료들이 많았던 것을 모른다. 느그 신랑, 저실엔 그저 생명태다이. 멋이든 매운탕으로 허면 좋아허고! 말씀 따라 하기가 쉽진 않았다. 생선을 토막 내는 것이 싫어서, 무서워서, 할 수 없이 자잘한 생선들을 쓰는 것을 그는 모른다. 십 년을 몇 번씩 살고 나서도 모른다. 도마 위에 눈을 뜬 채로 빤히 올려다보고 있는 물고기를 토막 내야 하는 일이 얼마나 어려운 일인지 모른다. 물고기들은 왜 죽어서도 눈을 뜨고 있을까. 온통 한데 그물에 걸려 버려서 눈을 감겨 줄 살아 있는 이웃이 없어서일까. 눈은 안 보이지만 낙지처럼 참수를 해야 하는 것들도 있다. 대체 난생 처음으로 문어나 해삼들을 먹어 본 용감한 사람이 누구였을까. 누구라도 먹었을까. 하긴 누구라도 배가 정말 고프면 가장 가까이 있는 것을 먹을 것이다. 어라, 내가 소로우의 말을 흉내 내고 있네!

그래, 배가 정말 고프면 아무거나 먹는다. 풀들도 이것저것 먹다가 죽기도 하고 미치기도 했다지. 옛날이야기에 미치광이풀 이야기가 있었다. 먹을 것이 동이 난 보릿고개에 친정아버지가 다니러 오셨는지라, 담벼락 아래 풀을 뜯어다 삶아 드렸는데, 친정아버지가 눈을 부릅뜨고 어얼쑤, 시아버지가 덩달아 저얼쑤 하고 덩실덩실 춤을 추는가 싶더니 정신을 잃고 푹 고꾸라졌다고. 실제로 참나물과 비슷한 독초가 있으니 헛이야기가 아니다. 둘 다 쌍떡잎식물이다. 언제부턴가는 식물들을 보면 인터넷을 찾아볼밖에. 선배가 더 이상 말해 줄 수 없기 때문이다. 소량의 독은 약이 된다고, 미치광이풀 뿌리는 진통제로도 쓴단다. 그러다 보면 항암 효과 최고라는 명이도 선뜻 먹고 싶지 않다. 사약으로 썼다는 박새라는 독초와 어찌 구분하느냐고! 털이 난 곰취는 먹는 것이고, 못 먹는 동의나물 잎에는 털이 없다고 구별하란다. 하지만 어떤 땐 다르다. 털이 많은 게 독초 여로이고, 잎에 털과 주름이 없어야 먹는 원추리다. 이 모든 것을 누가 알랴. 선배는 알겠지, 전문가가 되었을 테니까? 『우리가 정말 알아야 할 우리 꽃 백 가지』그런 책이 나왔을 때, 제목을 지나쳐서 흠칫 저자 이름부터 보았다면 이 무슨……

하늘 같은 남편 조옴! 아니, 하늘 빼고, 밥 잘 먹는 남편 좀 봐줘요!

그는 그런 말을 하면서 냉장고로 가더니 물병을 꺼낸다. 찬물이 성이 차지 않으면 얼음을 넣는다. 냉동실엔 얼음통이 필수다. 지난번 설 명절엔 남은 음식들 넣느라 제빙기째로 빼냈다가 낭패를 당했다. 봄이 되자마자 갑자기 날씨가 더워져서 부랴부랴 제빙기를 제자리에 집어넣었는데 전혀 말을 듣지 않았다. 서비스센터에서는 전화 상담만으로 가능할 것 같다며, 일단 전원을 끄랬다. 그리고 한 시간 쯤 후 다시 코드를 꼽으면 하면 작동할 수도 있다는, 애매한 지시였다. 반신반의, 어쨌거나 냉장고를 통째로 끄집어내기는 쉽지 않아서 퓨즈를 내리기로 했다. 집의 1/4쯤 전기를 통째로 껐다가 켰다. 그런데 정말 물이 제대로 유입되기 시작했다. 그럴 거면 왜 그냥 섰을까. 왜 껐다 켜는 것만으로 다시 작동할 거면서 섰을까. 기계란 놈은 눈곱만치의 조건만 아니 되어도 그냥 선다. 우리가 절뚝거리거나 허리를 못 펴도 걷는 것과는 사뭇 다르다. 그냥 선다, 그 말은 죽은 것을 말한다. 사람은 그리 쉽게 죽진 않는다. 몇 퍼센트 이상 상해야 죽는다. 그 몇 퍼센트가 몇 퍼센트일까.

아차, 소식을 모르는 것은 죽은 것과 다를까. 무엇이 다를까. 나는 첫 번째 청혼을 흘려들었고, 두 번째 청혼에 결혼했다. 첫 번째 그 사람을 지금 모른다. 사실 어떤 친구들은 더 여러 번 청혼을 받는데도 그 사람들 소식은 그런대로 알고서 사는 것 같다. 나는 왜 그 한 사람의 소식을 모를까. 얼마나 멀리 갔을까. 왜 발자국을 남기지 않았을까. 얼마나 깊은 숲으로 산으로 갔을까. 깊고 깊은 숲속에서 산골에서 꽃을 가꿀까, 농부가 되어 있을까. 옛이야기 속 연달산 농부처럼 산속으로 높이높이 올라가 천사를 만나 사랑하고 천사는 떠나고, 이제는 딸에게 아들에게 참꽃 개꽃을 말해 주려나. 새봄에 피는 홑꽃만 따 먹어라, 늦게 피는 겹꽃,

점박이 개꽃은 먹으면 큰일 난다아. 아님 주왕산에 숨어 수달래 축제에서 한 역할 하고 살아가려나. 시답잖은 상념이랑 털자. 고개를 흔들어 본다. 오른쪽은 심하게 흔들린다.

밥 먹다 말고 뭐해요! 난 벌써 참외를 깎았고만. 참외가 일찍도 나왔네. 반은 씨 빼놨어요!

참외 껍질이 든 작은 쟁반을 들고 그가 일어선다. 아차! 음식물 쓰레기통에 넣으려고 다용도실을 밟을 것이다. 다용도실은 축축할 때가 많아서 슬리퍼는 또 한 번 심각한 발자국을 남길 것이다. 되풀이되는 내 녹음테이프.

그냥 두세요! 거기 그냥, 싱크대 위에 그냥 두세요!

왜, 아무가 버림 어때서요.

아니, 그냥 조옴!

당신 참 이상한 사람이야. 도와주려는 걸 그리 말리니. 무엇이 문젠지 알다가도 몰라!

그는 휭하니 거실로 나간다. 나는 부엌에서 뱉고 싶었을 그의 성난 목소리를 듣는다. 내 발자국이 문제라고? 까짓 닦으면 되는 흔적이 문제라고? 너 그 귓구멍 속 남아 있는 소리들은 뭔데? 그 흔적들은 언제 지울 건데? 지워 볼 생각이라도 했냐고! 소리 없는 그의 말이 귓가를 심장을 도려낸다.

맞다. 내 발자국, 그것이 문제다. 그는 내 발자국을 알고 있다. 그저 대놓고 언급을 하지 않을 뿐이다. 할 말이 없다. 사람들은 하려던 말 중에서 몇 퍼센트를 말할까. 이번에도 말을 삼키는 나는 엉뚱하게도 먼 데 헬렌 니어링을 듣는다. 됐어, 충분해. 이제부터는 밥을 삼키지 않겠어! 그러고서 생을 마감했다는 그녀의 목소리. 더불어 인디언의 노랫말이 들려온다. 나무처럼 높이 걸어라, 산처럼 강하게 살아라. 봄바람처럼 부드러워라. 네 심장에 여름날의 온기를 간직하라……

시베리아 아님 블라디보스토크

오늘도 꼭 밖에 나갔다 오고 그래요! 날씨도…….
대문이 닫히면서 남편의 녹음기 목소리가 함께 잘린다.

피플 토킹 위드아웃 스피킹, 피플 히어링 위드아웃 리스닝.
우리의 대화다. 침묵의 소리. 노랫말이 인생을 대변할 때가 있
다. 많다. 말하고 있지만 말이 아니다. 듣고 있지만 듣지 않는다.
우리의 경우에도 세월이라는 것이 느껴지는 동안 많은 대화들이
저절로 녹음되었다. 녹음되었다가 적당한 장소 적당한 시간에 자
연스럽게 흘러나온다. 녹음 대목을 찾느라 고심할 필요도 없다.
그 일에 관한 한 로봇의 정교함을 넘는다.
걱정 말아요.
아주 적당한 말을 내뱉고 돌아서는 나의 역할 놀이도 만점이
다.

맨날 어딜 가래! 맨날 혼자서 어딜 가?

혼자 중얼거리면서 식탁으로 돌아오려다 말고 거실에 앉아서 광주극장 상영작을 네이버에 쳐 본다. 정말 영화관에라도 가 볼까. 오늘처럼 혼자 가려면 광주극장이 낫다. 평소라면 백화점에 가면 될 일이다. 몇 개씩 되는 상영관이 있으니 골라 보기 좋고, 친구도 만나고. 그런데 친구들이 발칸반도에 가 있다. 미선은 평일에는 시간이 없을 것이고.

사실 미선과 내가 여행에 동참하지 못한다 했을 때, 친구들은 시큰둥했다. 대부분 짐작했다는 듯 그러려니 했고, 누가 나서서 가자고 채근하는 이도 없었다. 미선은 일찍 못 간다고 말했었다. 벌써 지난해 여행계획이 나올 때부터였다. 저 따라 방학 때 가려면 친구들 전체가 비싼 성수기 요금으로 여행을 하게 되는 것에 부담을 느껴서 그랬을 수도 있다. 말로는 여름방학에도 잠시 중한 일정이 있다고 했다. 나는 늘 빠지는 축이다. 그게 실은 나 때문이 아니라 친구들 때문이라고 해야 옳다. 단체여행을 가는데 누구랑 함께 자게 되면 한숨도 잠을 못 자고는 다음 날 비실대면서 일정에 영향을 주는 사람을 누가 좋아하겠는가. 누가 나랑 함께 자고 싶어 하겠는가. 그러니 무슨 무슨 핑계를 만들어 빠지는 것이 상책이다.

오래전부터 해외여행 운운하다 보니 며칠 전에는 이야기가 그이 귀에도 들렸나 보다. 결국 참견을 했다.

크슬보라고? 발칸을 말하는 거죠? 그런데 꽤 멀리들 가네.

그래요, 가까운 데는 다들 갔다 와서요. 어디는 누가 갔다 오고, 또 어디는 누가. 그러니 많이들 안 가 본 곳으로 낙착된 거죠. 동유럽 돌 때 슬쩍 크로아티아에 갔던 애들은 거긴 또 가 보고 싶은 곳이라고 오히려 반겼다고도 하고.

그렇게들 다니나?

자그레브 같은 데는 팬도 있어요. 가톨릭도 아닌데 거기 고딕식 높은 성당에 저절로 들어가게 되었다나, 암튼 거긴 꼭 다시 가고 싶은 곳이라 그랬대요.

아, 크로아티아란 곳이 그런 매력이 있나? 그럼 발칸에 지금 여섯 나라, 일곱이라던가? 우리가 유고슬라비아라고 그렇게 배울 때는 요상한 나라였지. 민족은 다섯, 언어는 넷, 문자마저 둘로 갈라졌다고 하더니만 결국 따로 살게 된 거지.

언어가 다르다는 건 좀 문제겠지요. 같은 언어를 써도……

그건 그러네, 소통이라는 것이. 그러니까 말이 통해야 소통이. 헌데 당신도 참, 딱히 못 갈 핑계도 없으면서 왜 단체 여행마저 빠지려고 해요? 사람이 바람을 쐬러 나다녀야 한다니까 그러네. 난 혼자서 일주일도 열흘도 끄떡없어요. 어려서 못 해 본 보이스카우트 하지 뭐.

보이스카우트라고? 저녁마다 어머니한테 갈 거면서. 얼마나 좋아하실까. 눈에 선하다. 스치는 생각과는 다르게 말은 평이하게 나간다.

발칸이면 한참 걸려요. 혹시 중간에 멀미라도 나면 친구들 보기 난감하죠.

왜 멀미가 날 거라고 생각해요? 요샌 멀미 잘 안 하더니만. 하긴 어딜 가야 멀미를 하거나 하지.

이건 일주일도 넘게 9일이래요. 그냥 힘들어요.

당신 참 특이해. 다들 기회가 없어서 야단인 것을. 참, 우리 여행은, 그건 내가 알아서 추진합니다. 올해가…….

뭣 하러요.

저번에 약속했잖아요. 이번엔 간다고. 이제와 안 간다는 핑계 찾기 어려울 거요.

그이가 쐐기를 박았다.

카톡 카톡.

웬일들일까. 그러고 보니 오늘이 출발일이다.

우리 지금 막 비행기 탔다. 30분 이내 출발. 이제 핸폰 끌 거야. 유향이, 지금 회장이다.

다들 잘 다녀와. 여행가방+선글라스(이모티콘). 나도 답을 보낸다.

젓가락을 들려고 하는데 또 울린다. 이번엔 단톡방이 아니라 그냥 카톡이다.

남아, 남겨 두고 가서 미안, 잘 다녀올게. 쏘리(이모티콘). 정인이다.

이모티콘으로 답을 하자마자 또 울린다.

남아, 오늘 시간 있지? 나와, 흰밥 먹자.

성주다. 아차, 성주도 못 간댔지.

성주는 가끔 흰밥 먹자는 소리를 한다. 남편이 당뇨라서 꽁보리밥만 씹는다고 너스레다. 꽁보리밥은 아니지만, 검은콩에 수수다 귀리다 이상한 잡곡들 죄다 섞는다고. 귀리 좀 씹어 봐! 밥도 아니야. 우리들은 모두 웃는다. 요즘 흰밥 먹는 사람들 어디 있다고! 그럴 땐 미선의 말이 제일 웃긴다. 나 혼밥이라도 부러 발아 현미밥 해 먹거든요! 현미밥을 하기는. 햇반 종류가 그렇다. 발아 현미밥 작은 컵은 나도 좋아하는 편이다. 그냥 데울지 유리그릇에 옮겨서 데울지 그게 늘 고민이지만. 참, 성주에게 답해야지.

오늘 말고 내일, 낼 봐.

왜? 알. 낼 봐. 굴비 먹자.

또 굴비 타령이다. 이밥에 소고기 대신, 이밥에 굴비. 성주가 좋아하는 밥이다. 오늘은 사실 일감이 좀 있다. 숙제를 두고 나가는 건 편치 않다.

굴비 먹자 응? 집에서 굽는 것 징글징글하다. 구워 주는 것 좀 얻어먹자. 우리 둘 다 고긴 별로잖아.

성주는 만나자마자 또 굴비 타령이다.

그래 그러자, 난 집에서 굴비를 잘 안 먹게 돼. 그인 삐쩍 마른 것 말고 탕을 좋아하거든. 그런데 넌 또 왜 여행을 안 갔어? 첨엔 가는 것 아녔어? 지한 씨 때문에?

아냐, 응.

아냐는 뭐고 응은 뭐야?

그래, 우선 먹자니까.

그랬다. 성주는 지한 씨랑 동갑내기라서 함께 회갑이 되니까 둘이 여행을 가게 되었단다. 딸이 벌써 어른스럽게도 '엄마아빠 해외여행'을 선물로 내놓았단다. 그런 차에 두 번의 해외여행은 무리라고.

그래, 어디로 가려고?

그게 말이야, 지한 씨는 무조건 시베리아래.

왜 지금 시베리아를 가? 분위기들은 곧 철도가 뚫릴 거라니까 기다렸다가 가겠다는 것 아닌가.

글쎄, 지한 씨가 자신 없는 소리를 하면서 고집을 부리네.

자신 없어 고집을?

지병 때문이지 뭐.

당뇨가 무슨 큰 병이라고 그래. 혈당 좀 있는 걸 가지고. 고혈압이다 고지혈증이다 하나씩은 다 있잖아, 우리 나이면.

언제 기다려! 철조망 뚫렸을 때, 그러니까 몇 년 후면 내가 여행을 갈 수나 있을지 알아? 갑자기 성주에게 말하는 지한 씨 목소리가 또렷하게 귓가에 들려온다. 너무 놀라서 고개를 흔든다. 성주네 둘의 대화를 훔쳐 들을 마음은 없는데, 왜 들려올까. 아, 나 남이 살려줘! 온 힘을 다 해서 앞이마 중심에 두 눈을 고정시키니까 소리가 사라진다. 성주가 빤히 쳐다보고 있다. 들킨 것 같지는 않다. 마음을 가다듬고 말을 이어 간다.

해서 시베리아에 간다고? 올해 안에?

으응, 그럴 셈이야. 가까운 무안공항에서 직행으로 블라디보스토크까지 가는 패키지들도 나와 있나 봐. 춥기 전에 가면 될 거라고.

그렇담.

그렇담 뭐?

나는 우리도 거기 따라갈까 말하려다가 말았다. 그이는 분명히 여행을 가자고 하고 있지만, 아직 무슨 계획이 확정된 것도 아니다. 생각만 해도 성가시다. 뭣보다 이런 순간에는 내 귀가 무섭다. 들은 것은 못 듣고, 듣지도 않은 것을 듣는 불안한 청각에 이젠 좀 떨린다. 춥다, 늦은 봄날에.

건 그렇고 다다음 월요일 저녁, 나올 수 있지?

저녁이랬지 참.

응, 밥 좀 일찍 먹고 시민회관이야. 그땐 발칸 간 애들도 돌아왔을 거고, 여럿이 거기 갈 거라고. 정인이 당부 안 했어?

했지 벌써. 나 저녁에 잘 안 나가는 줄 알면서도, 웬일로 졸라대더라고.

정말 시베리아가 다가오고 있었다. 우리가 그리로 가는 것이 아니라 사방에서 시베리아가 오고 있다. 뉴스에서만이 아니다. 정인을 따라간 음악 공연에서도 시베리아, 시베리아, 시베리아가 울려 퍼졌다. 정인은 통기타로 배우는 발라드 교실에 노래를 배우러 다니는데, 어느새 강사의 팬이 되었단다. 나름 이름 있는 가수의 통기타를 듣는 것도 남다른 즐거움이고, 공감되는 것이 많다고. 그가 달마다 음악 공연을 하는데 이번엔 특별 이벤트가 있으니 꼭 함께 가 보자고 모두를 졸랐고, 정인이가 대놓고 조르면 그냥 따르게 된다.

월요일, 음악 공연과는 어울리지 않는 월요일 저녁이었다. 입장료는 없고, 공연을 위해서이거나 북녘 어린이를 위한 빵공장에 후원금을 내는 시스템이란다. 알아서 형편대로, 마음 내키는 대로. 그런 지불 방식도, 그런 빵공장의 존재도 신선한 느낌이었다. 강당 안에는 온통 시베리아가 공기 방울처럼 날고 있었다. 붉고 푸른 조명에 밀려 천장으로 날고, 관객석에 앉은 사람들의 눈동자 속으로도 날았다.

시베리아, 자작나무 숲, 나타샤와 함께 춤을 추고⋯⋯
노래 가사마저 웬 시베리아? 우리말 노래 속 시베리아는 가까운 곳처럼 느껴졌다. 나타샤는 또 왜? 하긴 백석이 불러온 나타샤겠지. '가난한 내가 / 아름다운 나타샤를 사랑해서 / 오늘 밤은 푹

푹 눈이 나린다.'

나타샤 때문에 미선에게서 핀잔을 들은 적이 있었다. 처음 그 시가 사람들 입에 오르던 때였으니 꽤 오래전 일이다. 내 말이 멍청하긴 했다. 사랑과 눈이 무슨 상관이래? 누군 사랑하면 눈이 오고, 누군 사랑하면 새가 운다냐? 그랬더니 미선이 한참 한심해했다.

시에서 무슨 논리며 합리야! '내 마음은 호수요.'하면, 마음이 어떻게 호수야, 그래도 호수지. '동해 쪽빛 바람에……' 바람이 어떻게 쪽빛이냐고 따질 테냐? 바람이라는 촉각이 쪽빛 시각으로 전이되는 것, 그런 것이 시어야. 시의 심상이라고. 하물며 누군가 사랑을 하면 눈도 푹푹 내리라지.

그때 미선은 우리에게 아예 강의를 했다. 교사가 되고 싶었던 백석은 아오야마가쿠인 대학의 영어사범과에 다니면서도 러시아 어를 죽자 사자 공부했다고. 고향인가 함흥에선가 영어교사를 할 때도 시내 양복점이건 서점이건 러시아 사람이 있는 곳이면 늘 쫓아다니며 러시아말을 배웠다고. 『테스』만 번역한 게 아니라, 러시아 작품 번역도 있었다고!

우린 놀랐다. 왜 이리 열을 내는지, 그것도 놀라웠다.

알았어. 너 요새 전공 바꿔 러시아어냐? 나타샤, 『전쟁과 평화』의 나타샤, 톨스토이의 손끝에서 태어난, 아니 그의 영혼 속에서 태어난 나타샤에게 러시아어 광팬이 매료되었다는 강의, 잘 알아들었네요!

더 있어. 나타샤 말고 안드레이 볼콘스키를 봐.

아, 그 그윽한 눈빛의 멜 화라!

누군가 끼어들었다. 영화만 봤던 것이다. 우리가 대개는 전집 빌려다 놓고 다 읽지 못하고 반납해 버렸음이 들통난 순간이었다. 미선도 따라 웃어 버렸다.

철없이 순진하기만 했던 나타샤를 버린 그 바람둥이는 냅두고. 볼콘스키 그 이름이 우연이 아니거든. 톨스토이의 외가 쪽 실존인물이었던 세르게이 볼콘스키 공작이 작품에서 되살아난 거야. 러시아의 미래를 농민에게서 본 그의 사상도 '농민공작'이라던 볼콘스키의 영향이라지. 실존인물 볼콘스키 공작이 누구냐! 데카브리스트 반란에 참여했다가 30년도 넘게 시베리아 유형 생활을 하고서 풀려났는데, 톨스토이가 그를 만나보고는 그 고결함에 완전히 매료되었더래.

뭐, 데카브리스트?

데카브리가 디셈버니까, '12월 혁명당원' 비슷한가. 러시아 청년장교들이 나폴레옹전쟁 때 유럽의 자유주의 공기를 흠씬 맛보고 돌아와서는 조국의 반동정치에 회의를 품게 되는 건 당연한 일이었겠지. 해서 입헌정치와 농노제 폐지를 목표로 비밀결사를 만들었고, 새 황제 취임에 맞춰 제정러시아 최초의 반란을 시도했지. 역사의 흐름을 바꾸기는커녕 허망하게 불발로 끝났지. 처형에 시베리아 유형에. 볼콘스키 공작은 주동자 급이었지만 젊은 니

콜라이 1세랑 어려서 친구처럼 지냈던 배경으로 교수형은 면했던 거래. 시대를 비껴가지 않는 것이 지식인이지. 어떤 지식인도 시인도 시대를 거스를 수는 없는 거야.

그렇구나. 백석만 해도 해방 후 월북 작가로······.

월북은 아니지. 고향에 남은 건 자연스런 일인데 뭐. 해방된 땅에서 러시아어 통역하면서 신 났겠지. 그래 봤자 부르주아라고 크게 쓰이지도 못하고. 그러니 평등이란 뭘까.

그냥 북에 남은 것. 납북도 월북도 아닌 그것은 뭐라 한다냐.

모릅니다요. 월북 납북 작가들의 해금조치도 88올림픽이라는 시대적 배경 덕택이었지.

그랬다. 문화는 역사의 바람을 탄다. 해금되어서 불쑥 나타난 김기림, 정지용, 백석······ 들. 목마른 데 해갈처럼 많이들 좋아했었다. 그러고도 벌써 한 세대가 흘렀구나.

'눈은 푹푹 나리고 / 나는 나타샤를 생각하고 / 나타샤가 아니 올 리 없다 / 언제 벌써 내 속에 고조곤히 와 이야기한다 / 산골로 가는 것은 세상한테 지는 것이 아니다 / 세상 같은 건 더러워 버리는 것이다' 이 나타샤는 영원한 여인이고, 연인들은 시베리아 유형지 같은 산골로 들어간다.

나는 바이크 타고 시베리아에 간다······ 숲속의 짐승들 시퍼렇게 불을 켜고 나를 노리네 / 하여 나는······

노래는 바뀌어 시베리아의 바이크가 나온다. 실제로 청년 탐험가가 시베리아를 자전거로 여행했고, 그것을 기념하여 노래한 것이라고 가수가 설명한다. 자전거로 시베리아를? 환상특급에 들어온 것 같다.

정인아, 저거 사실이야?

사실이지 그럼. 작년엔가 그 탐험가가 저 무대에 나왔더랬어, 다부진 젊은이던데. 96년이었다던가. 암튼 12,000km를 모터바이크로 달렸대. 블라디보스토크에서 모스크바까지 다섯 달을.

반년이네. 어디서 그런 용기와 힘이 나왔을지. 특별한 사람이네.

대학 때 안톤 체호프의 『사할린 섬』을 읽고 결정적인 영향을 받았다던가.

책을 읽고 탐험을?

체호프가 썼지만 소설이 아니고, 유형지 현실을 실증적으로 기록한 데서 크게 감동했더래.

내게 시베리아는 뭘까. 에너지도 용기도 없는 내게는 정복의 대상이기는커녕 꿈의 관광지로도 벅차다. 그냥 한 죄인이 '점차로 소생되어 가는' 유형지 시베리아로 있을 뿐이다. 오래 오래전에 읽었지만 각인된 구절, '아무 데도 갈 데가 없는 사람들'의 삶이란 무엇일까. 그때의 상트페테르부르크나 지금의 대도시들이나 '아무 데도 갈 데가 없는 사람들'이 여전하다. 물질적인 상황이 정신적인 상황을 결정한다는 마르크스의 말이 단순하지만 솔직하다. 물론 예외는 있다. 똑같은 물질적 상황에서 다른 선택을 하는 정신들의 구별이 존재한다. 일단 도스토옙스키를 따라가자면, 멀쩡해야 할 법학도가 출구 없는 상황에서 병적인 사색에 빠져들고, 나폴레옹적인 선택된 강자라고 스스로 세뇌된다. 자만심이 오죽하면 인류 전체를 위하여 사회의 도덕률쯤 넘어설 권리가 있다고 믿게 될까. '해로운 존재이니까 바퀴벌레의 목숨, 아니 그만도 못한 목숨'이니까. 이 무가치한 노파의 죽음으로 더 많은 이들이 행복해질 수 있다고 믿는 건 산술적 계산인가 감상인가.

바보같이! 바퀴벌레 인생이면 네가 죽여도 된다? 그 대가로 결과적으로 네 인생을 박살내? 박살났는가? 적어도 사회적 의미에서는 그렇다. 라스콜리니코프의 깨달음, 절대적 고립의 체험은 오직 죄의 결과다. 죄인은 그렇게 점차로 소생되어 간다. 그렇다면 죄는 그에게 성숙의 과정을 위한 필요악이었나? 이 무슨 망발. 이런 생각은 생각일 뿐이다. 난 아직 아무에게도 입을 열지 않았다. 하지만 이런 생각의 기억은 어쩐다?

살인에 관한 한 카라마조프 아들들은 더하다. 살부의 죄. 아들마다 트라우마가 있고 아들마다 살부의 이유가 있다. 아들마다 죄인이다. 누가 더, 누가 덜 죄인인가? 어머니의 유산을 두고, 아버지의 정부를 두고, 실제로 아버지를 죽이고 싶었고, 죽여 버리겠노라 떠들었던 너절한 아들이 죄인인가. 이 호색한 아버지를 벌레처럼 혐오하는 유럽 유학파 냉혈한이 죄인인가. 살인을 포함하여

모든 것이 가능하다니. 신만 없다면 그렇다고 했지. 그래서 니힐
리즘으로…….

저 있잖아, 저 가수가 5월 영령들을 위해서 어느 해 가을엔가
49일간 노래를 불렀단다. 저녁마다 망월동에 가서.
으응, 누구?
노래를 듣다 말고 멍하니 시베리아 유형지에 가 있던 나는 정
인의 말에 놀란다.
저 가수지 누구야. 애 정말 한심해!
미안, 노래 듣느라고. 망월동에서 음악회를? 암튼 뭔가 대단하
다아.

155마일 철조망이 꽃나무였으면 좋겠어 / 꽃 한 송이 들고 경계를
넘어 가는 거야 / 앞으로 앞으로 가는 거야~
휴전선에 꽃나무를 심자고? 언감생심, 지뢰나 없애라지. 목함
지뢰 사건으로 상이군인이 된 젊은이들의 모습이 어른거린다. 그
래, 나무를 심는 날이 오겠지. 와야 하겠지.
가만, 꽃나무 철조망이라. 모순형용도 형용이고, 불협화음도
화음이다. 격정적인 흑조의 춤은 사악하지만 아름답다. 「세례 요
한의 목을 들고 있는 헤로디아스」. 머리가 담긴 쟁반을 들고 서
서, 꽃다발을 안듯이, 한 손으로는 목에서 흐른 피를 닦고 있으
나, 얼굴 표정은 담담한 미녀. 이런, 목에서 뚝뚝 떨어지는 피, 핏

방울들을 왜 감상하는가. 예술의 권능은 무한대인가. 소설 속 미친놈들, 죄인들은 또 왜 이리 오래도록 살아 있는가. 그들이 어찌해서 내 머릿속에 남아 있는가. 합리적으로는 아무 쓰잘머리 없는 소설인데, 겨우 소설인데, 신의 권능을 감히 넘본 자들, 죄인들이 넘쳐나는 도스토옙스키의 세계가 왜 불멸인가. 불가사의한 일이다. 불가사의한 일들, 그중에서도 가장 경악할 일들이 오래 살아남아서 우리의 정신을 영혼을 지배한다는 것은 무슨 의미일까. 사는 일에 애당초 의미가 있을까만.

얼결에 음악회는 끝나고 있었다. 시베리아밖에 들은 게 없다. 마지막에는 최근의 남북정상회담에서 나왔던 메시지를 그대로 노래했는데, 상당 수 청중들이 따라 불렀다. 우리는 결코 뒤돌아가지 않을 것이다. 가사도 멜로디도 단순하고 반복적이라서 쉽게 따라하는가 보다. 광주 서울 평양 시베리아 모스크바 베를린…… 그러다가 독특하게 암스테르담으로 끝나는 가사였다. 정인이 말했던 그 특별 이벤트, 시베리아대륙횡단공연이라는 프로젝트가 이 노래로서 시작된단다. 코리아—유라시아 프로젝트, 그 정식 발표회인가 발족회인가는 따로 금요일 밤에 열린다고 했다. 취지에 박수를 친다 해도 거기까지 따라나설 일은 아니다. 연속해서 밤 외출도 싫고.

음악회 어땠어요?

다음 날 느지막이 저녁을 먹을 때였다.

음악회라기보다는, 예, 음악회죠. 문예회관 음악회하곤 다른, 무지 다른.

대중음악이라서?

그것보다는 무슨 문화행사 같았나. 모래그림인가 음악회하곤 아무 상관없는 것도 있고, 시작하자마자 남북 두 정상 얼굴을 그렸어요. 그려 왔던가, 복사처럼.

음악회에 샌드 애니메이션?

전형적인 음악회는 아니더군요. 암튼 모래는 난 원래 별로예요. 좀 만화 같고, 여자는 여자 남자는 남자, 늘 같은 선에, 표현이 한정되어 있어서인가 어디서 봐도 판박이죠.

애니메이션! 만화 맞지요. 헌데 음악회 얘기하다가.

그래요, 거기서도 시베리아입디다. 노래마다 시베리아라, 계속 계속 시베리아가 튀어나오드만. 게다가 코리아─유라시아, 코리아에서 시베리아를 거쳐서 유럽까지 땅으로 땅으로 공연여행을 떠나는 꿈에 부풀어 있었어요. 멈춰 서면 공연무대가 되도록 제작된 초대형 버스가 있대요. 그 버스를 몰고 대장정에 오를 거라고. 우선은 국내를 한 바퀴 돌고, 철조망 터지면 떠난다나요. 청중들도 함께 출발해서, 평양까지 가서 돌아올 사람 돌아오고, 블라디보스토크 가서 멈출 사람 멈추고. 힘 닿고 마음 닿으면 암스테르담까지래요.

웬 암스테르담?

모르죠. 모스크바, 베를린까진 그러려니 했다가, 왜 하필 암스테르담일까, 혹시 동화 때문인가 했어요. 풍차가 연상되기도 하고!

아하, 잔세스칸스 풍차마을! 풍차 하면 암스테르담이지. 그럼 에펠탑의 파리는 어쩐다?

우리가 뭘 걱정해요! 파리보다는 여기선 베를린이 더 어울리죠. 베를린 장벽에서 죽어 간······

에이, 베를린 장벽 이야기가 왜 나와요. 장벽 28년에 통일 28년이 지났으니 그건 확실한 과거죠. 거기 28년 동안의 희생이 5·18 일주일 때와 맞먹는 정도 아녔나. 아차, 숫자 이야긴 하는 게 아닌데. 어쨌든 그쪽 일은 잊어요. 그럼 우리도 그럼 그 공연을 따라서 갈까?

우리가 모래사막 대상들 따라가는 상인들도 아니고 어떻게 그 일행을 따라가요? 당신 병원은 어떻게 하고요?

어, 병원 걱정이라? 일 년쯤 쉬지 뭐. 나도 늘 꿈꾸는 여행이 있어요. 두어 달 계획으로 떠나는 여행. 동쪽이냐 서쪽이냐 그것부터 늘 왔다 갔다지만.

우리에게 동쪽이 어디 있다고. 우리가 극동 아닌가.

에이, 지도를 봐요. 우리 동쪽에 드넓은 태평양 아냐. 그 건너 미국, 캐나다. 일단 상식적으로 미국을 끝까지 가서 나이아가라 폭포를 생각하지. 그러고는 알래스카까지 올라가는 거요. 아니면 아래로 헤밍웨이의 쿠바, 잉카 유적들. 하지만 또 서쪽으로 쏠리면, 중앙아시아 고원지대, 시베리아, 그 다음 유럽들, 어딘지 음산한 북구, 햄릿의 덴마크도.

그렇구나. 난 어쩐지 우주의 배꼽…….

우주? 배꼽이라고?

아니, 세계의 배꼽 델포이가 궁금해요. 신의 뜻이 전달되는 산꼭대기의 신전, 파르나소스는 무등산의 두 배쯤은 높을 걸요. 내가 등반하는 건 아닐 테고, 안개 낀 작은 숙소의 창가…….

뭐야, 벌써 다 다녀왔네. 왜 숙소가 작은데?

높은 산중이잖아요. 산길이 넓겠어요? 좁은 산길에 서 있을 숙소가 작을밖에.

상상도 참.

제우스가 독수리 두 마리를 날려요. 세계의 중심으로 날거라! 그랬더니 이 두 마리가 바로 델포이에서 만났죠. 제우스가 직접 옴파로스를 그 자리에 놓아요. 옴파로스, 배꼽을. 100년 전쯤 그 돌이 실제로 발굴되었다니, 신화란 신화가 아녜요. 나중에 도난 사건이 있었다던가, 지금 산에 놓인 건 평범한 바위, 모조품이래요. 모조품이라 해도 배꼽 자리는 배꼽 자리, 한번 가만히 만져보고 싶은.

당신 신화 좋아하는 것 여전하네.

실제로 발굴되는 것들이 신화예요? 역사지!

그렇다 치고, 우리 여행지는 투표해야겠네요, 민주적으로.

민주적으로?

우리나라도 민주적 체제에 산다고 분류되던데. 내과 우 원장 알죠,《타임》지 팬이잖아요. 엊그제 떡하니 펴 놓고 설명하더라고요. 세계지도에 푸른색 짙은 곳이 민주적 체제라고. 우리나라도 푸른 쪽은 분명하더구만. 서양의 민주주의와는 다른, 그런대로 명색이 민주주의가 실행되고 있는 곳이란 설명이 붙어 있긴 해도.

그럼 정말 북한은 하얀색이던가요?

그러게, 완전히 새하얀. 가까운 라오스, 아프리카 몇 나라, 차드, 콩고랑은 심각한 독재라고 되었더라고.

콩고민주공화국 아닌가?

이름은 북한도 민주공화국이지. 아, 재밌는 건 미국이 캐나다나 북구 나라들에 비해 푸른색이 살짝 엷더라고.

설마요.

이 눈으로 봤어요.

하긴 요즘 미국 꼴이. 참, 멜라니아 부모가 시민권 얻었다면 특별대우죠. 자유만 가지고는 안 돼. 평등해야 민주주의죠.

그러게. 트럼프도 참. 자기가 기필코 없애겠다고 떠드는 연쇄이민제도를 장인장모에겐 대놓고 이용하다니. 장인이란 사람, 유고슬라비아 살 때 공산당원 전력도 있었다지만 멀쩡하게 통과되고. 세상이 그래요.

맞아, 미국도 말도 안 되게 불공평한 나라야. 군인 신분인데도 쫓겨날 뻔했던 한국계 여자애 이야기 들었죠? 기도 안 막히던데요 뭐. 어떻게 아홉 살부터 거기 살고 학교 다닌 애를, 그러니까 20년을 미국말로 미국서 산 사람을 미국 시민이 아니라고 하면 누가 미국 시민인가.

뭐 잘 되었다면서. 그리 어렵다는 시민권 받았으니까요.

암튼 여행은 둘이서 투표해서 50대 50이면 영원히 결론은 글렀네요. 답이 안 나오면 안 가는 것으로!

나중에 본격적으로 여행을 떠날 때. 그때 가서 이 설득의 천재가 나서지요 뭐.

설득의 천재.

그는 설득의 천재다, 맞다. 우물쭈물 청혼이 결혼으로 이어졌으니 말이다. 내가 남이랑……, 그만큼 오빠에게 먼저 말을 꺼냈다더니, 제가 남이 씨랑…… 그런 정도로 어머니에게 아버지에게 말씀드린 것이 전부다. 그것이 전부였다. 나는 왜 내 귓속에 박힌 청혼의 말을 모른 체하고 다른 소리를 들었을까. 다른 소리에 나는 설득당했고, 결혼을 했다.

나랑 결혼해, 괜찮겠지? 그렇게 가까운 소리를 흘려들으면서 나는 나무 위 새소리를 듣고 있었다. 괜찮겠지? 너 나랑 결혼하자고! 난 정말 못 들었다. 숨이 막혀 왔다. 나무 아래 함께 서 있었던 선배의 목소리는 못 들었다. 하늘을 향해 내지르던 새소리만을 기억한다. 나뭇가지 꼭대기, 먼 데 새소리만 들었다. 그것이 끝이었다.

그날로 나는 아예 그 장면을 도망쳤다. 생물교육과가 있는 사범대학 쪽은 얼씬도 하지 않았고, 선배가 인문대 쪽에 가만히 나타나는 화요일 오후나 금요일 점심시간이면 어김없이 미리 도망쳤다. 아예 수업시간을 빼먹었다. 과 친구들 사이에선 그리 단짝이 없어서 누가 날 찾지도 않았고, 그렇게 잘도 피해 다녔다. 다른 친구들도 내 속마음을 잘 몰랐으니까 괜찮았다. 그즈음부터였을까. 숨을 멈추면 코앞의 시공간에서 탈출하는 느낌으로 오히려 먼 데 소리가 들어오는 습성이 생겼다. 들은 것 안 들은 것들이 혼재하는 상태에 어리둥절한 것만 문제였다.

무서웠을까. 결혼, 결혼이라는 것 자체, 그 개념이 안 생겼을 때였다…… 라고 하면 변명이 될까. 스물이 넘은 애, 대학생, 선배랑 함께 걸어 다니면 기분 좋았고. 더 무엇이 필요했을까. 확신? 둘이서 일생을 함께한다는 상상? 아니 상상하기 이전이었다. 선배는 군필 대학생이었으니까 결혼을 생각하는, 생각해도 되는 나이였겠다. 청력 장애를 가지고 돌아왔으므로, 대학 생활이, 생활 자체가 쉽지만은 않았을 터다. 나는 곧잘 그의 청력 장애에 적응했다. 적응이라기보다는 내가 처음 보았을 때부터 이미 장애였다. 어쩌면 나는 그 장애를 즐기기조차 했다. 혼자 중얼거리기 좋아하는 내게 편하기도 했다. 누군가에게 말하고 싶기도, 말하고 싶지 않기도 한 이야기들. 나 혼자서 하는 둥 마는 둥 지껄여도 선배는 크게 궁금해 하지 않았다. 내용은 잘 몰라도 뭔가 조잘거린다는 것을 몰랐을 리 없어도 묻지는 않았다. 나는 어쩌면 선배를 살짝 이용했다. 혼자서 지껄인다는 것은 혼자서 답을 찾게 되는 과정이었다. 선배는 내게 고마운 사람이었다. 나는 이 모두를 과거형으로 말한다. 그것은 먼 과거에 속했다. 나의 미래를 장애를 가진 선배랑? 그런 일은 상상해 본 적이 없었다. 난 그런 애였다. 밴댕이 소가지에, 겁이 많기로는 토끼나 사슴 저리 가라다. 일단 움츠리기, 그건 정말 못난 짓이다. 지금도 별 나아진 것은 없지만, 젊어서는 정말 심했다. 그 어떤 용기도 없었다. 용기 없음을 느끼지도 못했다.

막상 결혼을 하는 것으로 결정되었을 때에도 의사라는 직종이 살짝 걱정되었다. 하지만 그이는 의사라기보다는 내게 오빠 친구로 여겨졌고, 오빠 친구라서 겁이 덜 났다. 사실 의사들은 환자와 죽음과 가까이 사는 한에서 내겐 두려움의 대상이었다. 타인의, 때로는 자신의 죽음을 관장하는 군인도, 범죄자와 더불어 살아가는 판검사도, 예술에 빠져서 실 인생을 모를 예술가도, 돈과 성공을 목표로 가정도 경영하고야 말 사업가도, 이들 모두는 결혼과 관련해서 기피 인물들이었다. 못났다. 그럼 누구, 어떤 부류와 결혼을 해야 할지. 생물과 선생님이 되고 싶어 했던 선배가 제격이었는데 그걸 몰랐다고? 아니, 선배는 좀 걸리는 문제가 있었다.

장애를 지닌 사람과 평생 소통해야 한다는 사실은 극한의 두려움
이었다. 나는 따뜻한 물을 좋아하고 단순 편안한 삶을 살고 싶어
하는 맹꽁이다. 맹꽁 맹꽁 울어서가 아니라, 흐리멍덩해서 맹하
고, 꽁한 성격이니 꽁하다. 흐리멍덩하려거든 꽁하지나 말지. 드
디어 꽁한 소리가 터져 나온다.

난 아녜요. 시베리아 안 갈 거예요.
빈 그릇들을 들고 일어나면서 그에게 등을 돌렸다. 아무래도
난 얼음공화국에 가고 싶은 맘은 없어요.
왜 또오! 무작정 반대는 안 돼요. 어디든 가기는 갈 테니까, 배
꼽이든 어디든 꼭 가고 싶은 곳이 있거든 날 설득해요!
난 설득과가 아닌데……. 다시 중얼거리지만 입은 꼭 다물고
있다. 이 소리는 어디에 녹음이 되려나. 이렇게 저렇게 말하지 않
고 녹음해 둔 말들과 이렇게 저렇게 들어서 저장해 둔 말들로 내
해마는 언젠가는 터질 것이다. 손가락 두 마디 정도의 크기가 언
제까지 견딜까. 해마에 실금이 가는 소리가 들리는 것 같다.
그릇 딸그락 소리, 물소리가 새소리들만큼 시끄럽다. 소리를
뚫고 온기를 만끽한다. 따뜻한 물이 이렇게 좋은데……. 물이 따
뜻하지 않다면, 세제를 아무리 퍼부어도 이렇게 말갛게 그릇이 씻
길 리가 없다. 온도의 법, 온도의 마법이다. 스물네 시간 따뜻하
고 찬 물이 흐르는 이 부엌이 그이 덕분이다. 그이는 내게 그 나
름대로 아늑한 가정을 주고 있다. 답답하지 않은 집, 넉넉한 밥을

위해서 그이는 감기 환자들의 콧물을 싫어하지 않으려고 노력한다. 수입이 괜찮은 편에 속하는 직업군이라 해도, 공중에 흩어져 떠도는 돈을 나의 것으로 만드는 일은 대단한 일이다. 먹고사는 데 필요한 돈을 번다는 일은 성스러운, 존경스러운 일이다. 남편을 존경할 일이다.

물론 우리 집만이 아니라 온 나라가 업그레이드 된 것은 맞다. 여름에도 발 시리면서도 땀을 못 견디는 건 어쩔 수 없다. 씻어야 잠을 청할 때 따뜻한 물이 얼마나 좋은가. 옛날에야 여름철 따뜻한 물이 어디 흔했나. 어려서도 젊어서도 찬물은 힘들었다. 주전자 물이라도 데우지 못하면, 허겁지겁 물 끼얹으며 얼마나 시렸던가. 어유, 저 오리 새끼, 여름 감기나 안 들면서 저러지 원. 핀잔을 들어도 어쩔 수 없었던 여름밤들. 좁은 가슴팍이 얼음물에 담근 풍선처럼 오므라들던 때를 생각한다.

시베리아라고? 씻기도 힘들다는 시베리아 횡단열차에서 사흘 밤낮을 덜컹거리면서 무얼 구할 것인가. 바이칼 호수가 여러 날의 덜커덩 소리와 추위와 더러움을 상쇄할 마력이 있나. 데카브리스트박물관에 가면 유형지에서도 고귀함을 잃지 않고 살았던 옛 사람들의 발자취가 잘 간직되어 있단다. 하지만 그걸 꼭 눈으로 보아야 감동하는가. 난 듣는 것만으로도 벌써 으스스 떨릴 만큼 감동해 있다. 귀족의 몸으로 친정의 반대를 무릅쓰고 또는 친정의 보살핌 속에서 유형지로 따라나선 몇몇 아내들의 사랑과 헌신, 그 이야기도 내겐 이야기로 충분하다. 오지의 은광산에서 중노동을 감수해야 했던 그들의 12kg짜리 족쇄를 두 눈으로 보는 기분은 어떨까. 나라면 오히려 그런 적나라한 물증들을 눈으로 보면서 아파하고 싶지는 않다. 내가 눈으로 보아서 기억하고 싶은 것이라면 푸른 들판, 설마 설마 이해할 수 없으리만치 넓게 펼쳐지는 평원들이다. 수수만년 특별할 리 없는 무수한 사연을 간직하고 있을 대지들이 경이롭다. 그래, 내게는 광활한 시베리아 설원도 자작나무 숲들도 상상만으로 충분히 되었다. 신비를 품은 우주의 배꼽이 아닌 그냥 평범한 땅을 보듬자. 풀이며 지렁이며, 미생물부터 온갖 생물들이 살고 죽어 가는 땅, 버드나무 늘어진 천변의 풀 무성한 보잘것없는 땅이면 되었다. 봄까치꽃을 피워 내는 땅이면.

나를 설득해 보라니까요. 멋진 곳! 내가 유혹 당할 만한 그런 곳!

그이는 여태 내 대꾸를 기다리고 있었나 보다.

내가 약한 구석이 있잖아!

당신 약한 구석이라고? 뭘까, 그런 게 있을까. 고개를 갸웃거리다 보니 입이 열리지 않는다. 생각을 하게 만드는 말을 해 놓고서 답을 하라면 어떻게 해. 생각을 하고 있으면서 어떻게 무슨 말을 하느냐고. 내 입은 더욱 닫힌다.

남이 씨, 조옴, 나남이 씨!

그이가 내 이름 석 자를 불러 댈 때는 상기된 채 속으로 혼잣말을 내뱉고 있을 때다. 내 귀는 마이크로 증폭된 소리를 듣는다.

나남이 넌 뭣이 그렇게 복잡해! 여행 한번 가자는데, 병원을 잠시 쉬고라도 내가 가겠다는데. 무슨 말에 쉽게 한번 따라오면 큰일이라도 나느냐고. 뭘 생각할 게 그리 많으냐고! 망쳐 버린 신혼여행부터 꼭 다시 말로 해야 해?

짐작만으로도 미안해진 나는 우물쭈물 말을 시작한다.

왜 이름은 부르고. 알았어요.

일단 시베리아 횡단열차가 싫은 이유부터 말해 봐요, 내가 설득당할지. 아님 블라디보스토크에서 이르쿠츠크까지도 아예 비행기를 이용하든가.

하지만 당신 정말 가고 싶은 것은 전체잖아요. 9,000km가 넘는다는 시베리아 횡단철도 전체를 가 보고 싶은 것.

거야 그렇지만 그렇게는 스무 날은 걸릴 것이고, 아 물론 블라디보스토크에서 모스크바 끝까지 바로 달리기만 한다면, 로시야 호라든가, 그 열차로는 일주일이면 직통으로 간다더라고. 하지만 여행을 그렇게 할 수는 없는 것 아니요. 어째도 바이칼은 이르쿠츠크는 보고 싶고. 그러니 우선 거기까지만이라도. 아님 블라디보스토크까지 일단 가서, 거기서 러시아 맛을 보고 그 다음에 결정을 해도.

무슨 말이에요. 우리가 무슨 자유여행을, 유럽도 아니고 낯선 땅을 자유여행이라니. 뭐 당장 낼모레 가는 것도 아니니 천천히 얘기해요.

아무튼 간다고 약속했어요!

그래요. 천천히요.

속으로는 나는 다른 말을 하고 있었다.

보세요! 자유여행이라면 우리 자유로 여행하기, 어때요? 자유로! 시베리아 아님 블라디보스토크는 그냥 당신 혼자서 가면 안되나요. 친구들하고든지. 여행을, 해외여행을 왜 부부가 함께해야 하나요. 집에서보다 더 서로에게 갇혀 있게 될 여러 날들을. 여행지에서 단둘이란 통째로 교집합이 되어 버리니 숨이 막히잖아요. 헤쳐 모여 해서, 자유롭게, 가고 싶은 사람들끼리 가는 것이 왜 안 되냐고요. 아예 방콕을 더 좋아하는 사람도 있는데. 혼자서 일주일 이주일. 대문을 걸어 잠그고! 그것도 꽤 좋은 여행일 텐데, 내면으로 내면으로. 최소한만 먹고 최소한만 자고. 무엇을 할까. 무엇이 하고 싶은가.

누수

누수 때문에 이 난리다. 우리 발코니의 누수가 아래층 발코니 천장을 망치고 있단다. 페인트를 망가뜨리고 이러저러 피해가 났다고, 방수 공사를 해 달라는 당당한 요청에 어쩔 도리가 없었다.

사실 나는 기껏 누군가의 1㎡ 공간에서 살고 있다. 우리 아파트 값이 누군가가 소유한 1㎡의 값에 미치지 못한다면 분통이 터질 일이다. 명동 네이처리퍼블릭이 들어선 곳 땅값은 1㎡당 정확히 우리 아파트 값을 넘는다고 공인되어 있다. 하지만 다음 순간, 이건 기적이야, 하는 생각을 한다. 내 키가 크진 않지만 1m보다는 2m쪽에 가까우니, 그 금싸라기 1㎡를 갖는 것보다 이만한 아파트를 갖게 된 것이 그나마 요행 아닌가. 문제는 닭장이나 진배없는 이런 아파트에 살다 보면 공동생활 때문에 감내해야 하는 것들이 많은 점이다. 층간소음은 기본이다. 애들은 뛰게 마련이고, 윗집에서 옛날식 제사라도 드리는 날이면 도마 소리 그릇 소리 밤중까지 한낮이다. 그뿐이랴. 고요한 밤중에 들리는 너무 세밀한 화장실 소리는 산다는 일에 비참함을 더한다. 노랫말에 나오는 언덕 위의 하얀 집까진 아니더라도 괜찮은 곳에 괜찮은 주택을 소유하기란 쉬운 일이 아닌 줄 안다. 알면서도 비참한 것을 어쩌랴. 상황에 알맞게 구부러져야 산다, 그쯤은 알게 되는 세월을 살았다. 나는 밤중에 화장실에 가게 되면 일단 수도꼭지를 세게 틀어 놓아서 누군가의 귀에 들릴지도 모를 적나라한 소리를 감추려고 애쓴다. 누군가를 위한 배려가 아니라 나에 대한 예의다. 시답잖은 말인가. 아무튼 내 요상한 귀는 못 듣는 것이 많으면서도 한밤중에 어딘가에서 들려오는 물소리는 흘리지 않고 잘도 듣는다.

그만한 층간소음쯤은 일상이다. 일상의 흐림은 폭우를 쏟는 태풍처럼 밀려오는 누수 문제와 비길 바가 못 된다. 윗집의 누수는 시간적으로 다툴 문제는 아니다. 참아 가면서 기회를 볼 수 있으니까. 하지만 아랫집에서 점잖게 혹은 점잖지도 않게 클레임이 들어오면 용서가 없다. 꼭 우리 집 문제만이 아니죠. 그냥 두면 아파트 전체에 균열이 번질까 봐서……. 이런 이타적인 언동에 무슨 수로 맞서랴. 당장에라도 발코니의 살림들을 꺼내고 방수 공사를 해야 한다. 한 해 걸러 앞뒤 발코니 공사다. 지난번 뒤쪽 발코니 때는 누수 원인과 상태를 전문가의 말로 들었을 때 사실 놀랐다. 소금이 범인이라니! 묵히는 소금 가마니에서 염분이 흘러내려 차츰 시멘트를 부식시켰고, 그로 인해 상당한 누수가 진행되었다 했다. 발견이 다행인 셈이었다. 치울 살림들도 장독대 몇 개와 선반들에 보관하는 곡물들, 빈 통들 등 어수선한 물건들 정도였다. 이번엔 다르다. 앞쪽에도 햇빛이 필요한 장독대들이 있고, 문제는 가히 영국풍 정원이라 할 얽히고설킨 화분들 때문이었다. 천장에 닿아서 이미 비뚤게 올라가는 선인장들은 수도 없고, 물론 한 사람의 힘으로는 움쩍도 못 할 종려나무 분이며, 넝쿨장미에, 세상에 시누대나무까지. 자잘한 분들도 그 숫자로는 사람 손을 타게 마련이다. 지난번 공사도 했었던 업자 양반이 물건 치우고 들이는 것도 맡아 해 주겠단다. 낮 동안엔 나 혼자뿐인 것을 알고 있으니 다른 방도가 없다는 것도 아는 때문이리라.

점심 먹으러 나갔던 사람들이 돌아오는 기색이다.

커피 드셔야죠? 설탕은 어떻게요?

아무 거나 주시쇼. 다달하면 더 좋지라.

서둘러 요새 막 나온 단감도 몇 개 깎아 낸다.

밥 막 묵었는디라.

어쩌가니. 아따, 근디 싱싱허요이. 새것이라.

보쇼. 화분 내놔붕께 베란다 엄청이나 넓소이. 저짝 끝에 하나 이짝 끝에 하나 침대도 놓겠구만이라.

텀턱스럽네.

아니 진짜여. 보쇼. 이라고 넓은 베란다 봤소? 그나 저 화분들 다 디려 놓지 말고 이라고 훤허게 사시쇼.

먼 감 놔라 배 놔란가. 나중에 양주 간에 헐 일로 가지고서는.

그려 언능 해 불게 시작헙시다.

아무도 발코니라고 하지 않고 베란다라고 말한다. 사장부터
그러니까 그럴 게다. 주택공사의 설명으로는 아파트엔 베란다가
없는데……. 이런 따위의 말이 통하지 않는다. 아무렇게나 소통
이면 그만이다.

우리가 발코니를 확장해서 발코니가 넓은 건 아니다. 반대로
발코니를 거실로 집어넣지 않아서 발코니가 넓은 것이다. '발코
니 확장'은 옵션인데, 우린 그냥 발코니를 유지하기로 했다. 거실
이 발코니까지 확대되어 훤히 비치는 유리창 하나로 바깥과 구분
된다는 것은 아찔한 느낌이었다. 옛날 집들은 문풍지 하나로 바
깥과 구분되었지만, 창호지는 뭔가를 가려 주는 맛이 있었고, 마
루도 있었다. 무엇보다 그것은 방과 마당의 사이였다. 발코니 유
리창 밖은 말 그대로 허공이라서, 공기가 주인인 곳, 나랑은 아무
관련도 없는 곳이었다. 발코니는 일단 완충지가 되어 준다. 전체
적으로 사용 공간이 좁더라도 안정감을 더해 준다면 그 편이 좋을
성싶었다.

그건 그렇고. 왜 햇빛 잘 드는 앞 발코니에서 누수가 생기는
것일까. 웬만한 습기는 하루해가 말릴 것 아닌가. 하기는, 화분들
속의 흙이 머금고 있는 습기들이 바닥을 스물네 시간 습하게 하는
지도 몰랐다. 화분과 화분 사이들도 늘 물기에 젖어 있기 마련이

다. 뒤쪽 발코니 누수의 범인은 소금이었고, 이번에는 흙인가 보다. 흙은 물기를 품고 있어서 탈이고, 염분은 그 자체로서 시멘트를 녹인다. 물리 화학이다. 사는 것이 과학이다.

발코니가 없었으면 화분들도 없었고 누수도 없었다, 라는 말이 되나? 모르겠다. 거실로 확장되었더라면 거실에 화분들이 있었을 것이고, 거실에서 누수가 발생했을지도 모른다. 아니, 거실은 난방이 되기 때문에 그 정도의 누수는 스미거나 말랐을 것이다. 모르겠다.

오늘로는 다 혔소.

어, 빨리 끝내셨네요.

방수 처리허기 그거는 기중 쉽소. 요고 방수제 잘 되야라. 아, 그래도 낼 내가 한 번 더 입혀야쓰제요.

내일 또 하세요?

낼은 나 혼자 와서 살짝 한번 볼라부러야제라.

그럼 타일은 언제?

그거야 이삼 일 재와야 방수가 지대로 되니께로. 연락 디리께요.

우르르 사람들이 나갔다. 거실은 여전히 마당 다름없다. 문에서 앞 발코니로 기역자로 깔아 놓은 은박지 통로는 흙투성이 발자국 그대로이고, 화분을 대강 들여놓은 저쪽 끝 방까지도 여전히 임시변통으로 깔아져 있는 은박지 위가 지저분하다. 지저분이 라는 말로는 도저히 모자라다. 집 안에서 신발로 다니는 길과 슬리퍼로 혹은 맨발로 다니는 길이 어떻게 구분될까. 앞으로도 며칠을 더.

옛날엔 흙길 밟기가 일쑤였다. 아주 어려선 댓돌만 내려가면 그대로 흙이었다. 아니 신발 속이 흙 그대로인 어른들도 있었다. 속에 지푸라기 같은 것이며 흙모래가 들어간 신발을 벗어 놓고 샘가에서 찬물에 발을 씻던 아주머니가 떠오른다. 미역 짐인지 뭔가를 한 짐 이고 지고 팔러 다니는 행상이었는데, 아무튼 뭔가를 가지고 집에 가끔 들르곤 했었다. 마루 끝에 걸린 밥 바구니를 내려서 그럭저럭 나그네 밥상에서 한술 뜨고 나면 대신 이야기보따리를 풀어놓는데, 애어른 할 것 없이 넋 놓고 귀를 기울이곤 했다. 내 팔자 어느 세월에 비단길로 다녀 볼거나······.

그때 우리는 어렸고, 길은 길인데 흙길이니 비단길이니 하는 말이 애매하게만 느껴졌다. 비단이라고 하면 할머니 치마 지어 입으신 그런 비단일 텐데, 누가 그런 비단으로 길을 만들까 의아했었다. 그런 길이 있기나 할까. 어떻게 비단으로 길을 만들까. 비단신으로 걷는다 해도 곧 찢어질 텐데. 비단신이라는 것도 아장거리는 아이들에게 방 안에서 걷게 신겨 주는 장식품으로밖에 생각이 안 되었다. 자동차가 다니는 큰 길의 아스팔트를 제외하면 길이란 원래 흙길이었다. 길은 흙이었다. 누가 비포장도로라는 말을 하면 나는 이상하게 느껴진다. 필요에 따라서 포장했으면 포장도로이겠지만, 비포장도로라고 하면 그것도 포장되어야 한다는 말인 것 같아서 이상하다. 왜 꼭 다 포장해야 하는가. 길은 원래 흙인데, 왜 어둡고 힘든 길을 흙길이라 비유할까. 요즘에는 흙길과 대비되는 말이 비단길이 아니라 꽃길이다. 내 아가, 꽃길만 걸어라! 모든 부모들의 소원이다. 순탄하고 순조로운 경로를, 평안하고 행복한 길을 살아가거라!

  행복한 – 행복이 뭘까. 심심하면 하는 버릇대로 '행복'을 검색해 보려다가 서점을 찾아본다. 행복이라……『행복한 불행한 이에게. 카프카의 편지』라니. 애매해서 눈에 띈다. 행복하면서 동시에 불행한 사람? 책의 부피를 보니 곧 외면할 마음이 생긴다. 1,000쪽이 넘는 책을 무슨 수로 읽나. 이런 건 폭력적이다. 어라, 『나는 행복한 불량품이다』라는 얼핏 매력 있는 제목도 눈에 들어온다. 가만, 행복한 성공 작품이라야 최상이겠지. 성공해도 불행할 수도 있으며 성공하지 못해도 행복할 수 있다는 아편서인가? 아차, 나는 행복하지도 않은 불량품이라면? 행불행과 성공 여부를 생각하게 하는 책이라면, 이것도 사절이다.
  행불행의 피안이라고? 그건 못 된다. 소확행이란 유행어를 듣고도 화가 나는 심보인데 뭐. 따끈한 빵을 찢어 먹는 행복, 따뜻한 햇볕 아래에서 낮잠을 즐기는 행복? 그게 무슨 행복인가. 잠시의 기분 좋음, 더러 안락함 정도가 행복일 수는 없다. 그건 어쩌면 가벼운 마약이나 다름없다.

내가 왜 열을 내느냐고? 나를 위해서는 아니다. 젊음을 위해서다. 내가 젊을 때 그리 야망을 갖진 못했었다. 그건 성격 문제였을 것이다. 작은 온실에서 자라면서, 개성도 없고, 못났으니까. 멍게, 멍청하고 게으른 ─ 그래서 놓쳤다. 나의 의지로 무엇인가를 이루는 삶을 놓쳤다. 마음에 있었던, 마음에 있었을 사람도 놓아 버렸다. 겁이 나서. 그의 청각 장애가 갑자기 와락 무서웠다고 변명하면서 살아왔다. 말하지는 않았지만 그리 생각하고 살아왔다. 더 정직하게 말하자면…….

누수, 누수가 두려웠었다. 그것은 내 인생에서 무엇인가가 새어 나갈 것에 대한 두려움이었다. 선배가 청각 장애라서, 그것이 전부는 아니었다. 그가 속해 있을, 그에게 묻어 있을 어떤 것들이 두려웠다. 나로서는 알 수 없는 부분, 그가 나 말고 다른 누군가와 캠퍼스 잔디밭에 앉아 있는 뒷모습은 생경했다. 해는 저물고…….

하지만 그것들은 나에게는 터부였다. 나는 질투 같은 단어를 저열하다고 생각하고 증오했으므로, 선배가 어느 다른 여학생 또는 남학생 선배 또는 후배와 단둘이 앉아 있는 장면을 목격해도 정말 아무렇지도 않다고 생각했다. 다만 각각의 대화는 다를 것이라고 상상하고 그렇게 믿었다. 나랑은 식물 이야기가 거의 전부다. 한번은 우연히 대학생과 노동자의 독서량에 관해서 말이 튀어

나왔을 때 얼른 회피한 쪽은 나였다. 나는 물론 안 들은 것까지도 다 듣는 귀를 가졌기 때문에 들을 필요가 없기도 했다.

너희는 입학하자마자 신입생 오리엔테이션에서 가까워진 선배로부터 시각교정용 독서를 권유받는 거야. 여학생들은 조금 덜한가?

…….

시각을 교정한다니까. 그런데 대학생들과 노동자들의 독서량이 크게 다르다고 생각해? 아냐. 노동자들, 월소득 5만 원 이하를 열악한 환경의 노동자라 치자, 이 저소득층 노동자 40퍼센트가 독서를 즐긴다는 거야. 취미 독서가 30퍼센트. 전문 서적과 문학 작품을 읽는 것도 20퍼센트씩이야. 독서를 통해서 스스로 여타 노동자와는 다른, 소위 교양을 갖춘 인간임을 상상하고 믿는 것이지. 하긴 텔레비전이 게까지 보급되지도 않았었고.

…….

무반응인 내게 선배는 『난장이가 쏘아올린 작은 공』을 가져다주었다.

이건 읽어 봐야 할 거야. 교양 아냐, 소설이라고!

제목은 동화나 환상소설 같았다. 책을 읽어 나가자 곧 무거운 마음이었다. 낙원구 행복동 사람들이라니! 주택개량 사업지구로 선정된 동네. 자진철거를 하지 않으면 강제철거 당해야 하는, 그러고도 철거 비용까지 물어야 하는 기막힌 약자들의 이야기였다. 철거 현장의 비애. 초라한 밥상이 끝나기를 못 기다리고 들이닥치는 철거반원들이 더욱 초라하다. 그들 또한 상황이 열악하기는 낙원구 행복동 사람들이나 마찬가지일 사람들인데, 권력의 하수인인 동안에는 착각 속에서 권력자가 된다.

예상은 했었지만, 내용이 너무도 무거웠다. 다만 울고 싶어졌다.

다 못 읽었어, 그만 읽을래. 다른 사람들 빌려 줘.

그때 선배에게는 다 읽지 않았다고 둘러댔었다. 말하기가 싫었으니까. 선배가 책들을 여럿에게 빌려주기 좋아하는 것도 알고 있었다. 이건 비밀인데, 나는 선배가 풀밭에서 나누는 대화들이 S 교육인 것도 알고 있었다. 누가 내게 슬쩍 귀띔해 주었기 때문이었다. 'S가 무슨 약자인지는 알지? 말할 수 없는 그것!'이라고 하면서. 그뿐만이 아니었다. 교육하는 선배들이 S라고 알고서 후배들에게 일대일로 교육하는 내용들이 실은 '꽁'이랬다. 꽁? 쉿! 씨오엠으로 시작하는 그것. 더 상부 지도부에서는 그리 알고 있는 거라고 자못 조용히 일러 주기도 했었다. 바로 일 년 위 고교 선배였는데, 자기 오빠도 그런 일을 하니까 잘 안다고, 대단한 사람들이라고 말해 주었다.

대단?

대단하지 그럼. 도시빈민의 참상과 좌절의 고리를 끊어 내려는 운동인데. 폭력도 용인되는.

고리를 끊어? 그래도 폭력 같은 건.

아서, 잊어라. 폭력의 고리를 끊어 내기 위한 폭력이라는 이해가 쉽진 않지. 독일드라마 속의 말이지만, 폭력만이 도움이 된다고 했어, 폭력이 난무하는 곳에서는.

뭐야? 폭력에 폭력?

예링이라고 알아? 모르지!『권리를 위한 투쟁』, 그런 게 정전이야. '법의 목적은 평화다. 그것을 위한 수단은 투쟁이다.' 그런 것. 잊으라니까. 넌 잊어.

선배는 독문과 학생답게 독일 책들만 열거하다가 말을 끊었다. 법이 들꽃처럼 아프지 않고 피어나는 게 아니라는…….

고리가 끊겼나?

최근까지도 난쟁이 동네 이야기는 끊어지지 않고 계속되고 있었다. 신도시 계획을, 계획이 있다는 것을 발표한 이래, 설왕설래하는 기사를 본 적이 있다. 좋으라고 하는 일이니 당연히 기대하고 반기는 쪽이 있겠지만, 그 반대도 있다. 그린벨트 지역에 신도시가 들어서게 되면, 기존 주민들의 삶을 더욱 피폐하게 만들 것이라는 우려다. 거기 그냥 살고 있던 농민이며 영세한 가구들이 그곳을 떠나야 하는 때문이다. 우리더러 어디로 가라고 하남요! 몇 억씩 갖고서 새 아파트 못 산다고 아우성치는 젊은이들이 어째서 불쌍한가, 지어 준다 해도 못 사니까 떠나야 하는 우리가 더 불쌍하제요. 그런 말들이 텔레비전 화면에서 지나간다. 노후 아파트단지 재개발의 경우에도 입주권만 가지고서는 새 아파트에 입주를 할 수 없는 경우가 상당수란다. 그러니까 행복동의 고리가 끊겨졌는가 말이다.

아니다. 아닌 것 같다. 우리 동네 저쪽에도 아주 쇠락한 5층짜리 아파트에 내로라하는 건설의 재개발조합원모집 어쩌고 현수막이 걸린 지 오래다. 색이 바래 볼썽사나운 지 오래다. 그 앞 버스 정류장을 지날 때 서 있던 여자들의 말소리가 들려온 적이 있다.

징혀, 열두 집인가는 절대로 도장을 안 찍는다잖아.

열두 집이 아니라 스물두 집이래. 이백 넘은 세대가 고 사람들 땜시.

꼭 그렇게 말할 거는 못 되제. 우리야 그작저작 돈이 되니까 말이제만. 아무케도 아들 덕이제. 근디 아조 노인들도 있잖여, 자석들도 모다 노인들일 턴디.

그렇기는 허지. 놈의 집 아닌게로 이대로 살다 가면 된다, 그러고 사는 양반들도 있겠제.

새로 입주권을 통째로 준다고 안 혔는가. 일 원 한 장 더 안 보태고.

근디, 그 말이 사실일까. 쪼까 걱정도 되고.

잘은 몰라도 재개발이 모두에게 좋은 건 아니라 했다. 조합인지 건설사인지에서 주겠다는 보조금보다 조금 더 얹어 입주권을 팔게 되는 사람들이 꼭 나온다 하니까. 그럼 그들은 어디로 가나. 만일 오늘도 그렇다면 1978년의 아버지 '난장이'는 지금도 어디선 가 굴뚝 위에 올라가서 죽는 것일까. 40년 세월, 강산이 네 번 바뀌어도 고착된 틀은 그대로다. 행여 더욱 견고해진 것은 아닐까.

『난장이가 쏘아올린 공』이 200쇄를 찍는 기록을 세웠을 때, 이어서 출간 30년엔가, 작가의 인터뷰가 가슴 아팠다. 소설가로서의 보람과는 무관한 말, 아직도 그 책의 내용에 공감해야 하는 현실이 괴롭다, 그 비슷한 말이었다. 내 말이! 세상이 어떻게 한 발도 더 나아지지 않는가 말이다. 그런데 그 소설가는 요샌 뭘 쓰나? 세상이 여전히 똑같다면?

유명 소설가를 내가 걱정할 때가 아니다. 나 자신이 한심하다. 오늘 누수 공사를 시작했으니 아직 며칠을 더 매달려야 한다. 집은 먼지투성이인데, 청소는 않고 옛 생각에 잠기다니. 하긴 바로 그 누수라는 단어 때문인 걸 어쩌나.

누수가 시작된 순간은 언제부터였을까. 내 인생 말이다. 청혼을 흘려들은 것은 귀나 청력 때문이 아니었음을 고백한다. 어느 순간부터 시작되었을 누수가 내 머리를 적셔 갔고, 마음까지 견고함을 잃었을 것이다. 선배가 단순한 식물 이야기 말고 S교육을 자청하는 대단한 사람임을 알게 된 순간이었을까. 나는 대단한 사람이 실은 두려웠다. 우물 안 개구리였던 나는 막연하게 작은 삶과 작은 행복을 꿈꾸었었다. 요즈음 말로 소확행이다. 그래서 요즈음 젊은이들이 소확행 어쩌고 하는 일에 신경이 곤두선다. 삶은 소확행으로 재단되어서는 아니 되는 무엇이다. 살 만큼 살고 보니 그렇다. 일찍 가신 우리 아버지보다 더 오래 살고 보니 확실히 그렇다.

강아지한테 미안한 말이지만, 누군가의 무릎에서 졸고 있는 강아지나 고양이에게는 소확행이 괜찮은 가치일는지 모른다. 어차피 누군가에게 소유되어 버렸으니까. 야생의 개와 고양이에게 하는 말이 아니라, 반려동물 말이다. 만일 요즈음 젊은이들이 소확생을 가치로 받아들인다면 그것은 그들이 구조의 신에게 소유되어 버렸다는 뜻이 된다. 현상의 구조 앞에 무릎을 꿇었거나 외면한다는 말이다. 이 구조는 모두가 외면한다고 해도 거기 그대로 버티고 있을 것이고 더욱 강해질 것이다. 그들이 이 구조에 굴한다면 더는 할 말이 없다. 그래도 말하고 싶다. 그렇게 살고 나면 너무 허무할 뿐이라고, 너무 허무해서 감당하기 힘든 노년을 맞게 된다고. 노인이라고 해서 시시함과 허무함을 다 참을 수 있는 것은 아니라고.

아차, 이 난리 통에 혼났겠네요, 남이 씨.

그이가 현관문을 열면서 뱉는 소리다. 신발을 벗을까 말까 어리둥절해 한다. 마침 수요일이었다. 수요일엔 신경과 유 원장이 오후 진료를 쉬고 교회 일을 보기 때문에 이비인후과 유 원장도 일찍 귀가하는 날이 많다.

거기선 그냥 신고 들어와요. 화분들 좀 보고, 이쪽으로 오면서 벗으면 되죠.

와, 남이 씨 청소 제대로 못 해서 어쩌나. 이제 좀 잘 참으시나? 그런데 화분들 다들 괜찮겠지? 키가 큰 놈들 옮기느라 엄청 고생했겠네. 아니, 이건 비뚜로…….

거야 거실 천장에 닿을 거라서 그렇게 놔둔 거죠. 목을 자를 수도 없고.

이 가시들은…….

방법이 없어요. 그렇게 그렇게 놓아두는 수밖에. 저것들 다시 다 들여놓을 거냐고 아저씨들이 걱정들이던데요, 뭐.

웬 걱정들! 남이사.

그냥 할 말 없으니 하는 소리들이죠.

그러게. 나 씻을게요. 오늘따라 새삼 집밥이 그립네. 점심 메뉴가 카레였거든. 난 아무래도 조선밥 체질이라.

식탁으로 오는 그이의 손에 책이 하나 들려 있다.

배고프다면서요.

으응, 밥 먹고 읽으려고. 신경과 유박 말야, 재미있는 책을 많이 읽어. 이번엔 『동물 안의 인간』 그런 책인데 왜 동물들이 생각,

감정, 행동에서 우리랑 비슷한지 그걸 쓴 거야.

……

아, 시원 상큼하다.

연분홍빛 물김치를 들이켜면서 그가 심하게 너스레를 떤다.

이건 또, 구이보다 맛도 좋고 건강에도 좋고. 부추가 편육에 어울리는 것 그런 걸 여자들은 어떻게 알죠?

먹는 것마다 칭찬하는 것은 외교일까 작전일까. 그냥 생활인가 싶다. 공동생활의 노하우 같은 것일 게다. 그런 노력을 하다가도 머리를 장악하고 있는 화제가 터져 나오기 십상이다.

글쎄, 쥐가 사람 뺨친다네. 전기충격을 받은 다른 쥐를 보면 보는 것만으로 그대로 얼어붙어 버린다잖아.

단순히 옆에서 보는 것만으로?

실험에선 그렇대. 암튼 쥐에게도 공감 능력이 있다는 말이지.

쥐에게만 있나 보죠.

무슨 말이 그래요?

인간에게, 현대인에게 그런 공감 능력이 있나 싶어서요.

대개는 있지요. 남이 씨, 왜 그렇게 까칠하세요!

아니, 쥐는커녕 파충류만도 못한 경우가 하도 많아서.

뭘 그렇게 평가절하하시나. 인지 기능을 관장하는 대뇌피질은 인간 고유의 뇌 기능이랍니다.

인지 기능이 딱히 뭔데요?

가만 있자, 어째 구두시험 보는 느낌이네요. 보자, 인지라면 지식과 정보를 효율적으로 조작하는 능력이니까……, 에이 관두고. 암튼 인간을 인간으로 만드는 것이 대뇌피질이라는 것인데, 그 신경세포가 얼마나 되는지 짐작이나 가? 140억이래, 믿거나 말거나.

그만, 그만. 인간도 동물이라면서 또 동물과 엄청 다르다니. 내 머리가 아프기 시작하는 소리 안 들려요?

아프면 그만둘게, 질문을 하지 말든지. 머리 아픈 소리는 또 뭐요. 참!

머리 아픈 소리, 우지끈.

소리가 들려요? 상상력도 참.

동물 먹으면서 이야기까지 동물 하지 말죠. 소화 잘 되게.

동물 이야기로 소화 걸리는 우리 남이 씨, 어째야 좋을까.

내 저녁밥이 끝나고, 그러니까 설거지와 뒷정리를 마치고서 소파에 앉자 그이가 계속한다.

것 참 대단하네. 인간과 동물의 같은 점이, 아니 같네 뭐. 기뻐하고 화내고 하는 것도 몸과 머리 반응이 인간과 완전 같다네.

그렇겠죠. 인간이 포유류니까요, 뭐.

포유류가 감정 이입 능력은 물론 학습도 하고 의사소통을 한다는 건 알려져 있잖아. 그런데, 맙소사, 트릭을 쓰기도 한다네. 맘에 든 암컷과 짝짓기하려고 대장을 따돌리는 협동이라니, 약한 놈들이 그렇게 상부상조도 하고. 심지어 개성도 있고, 똑부와 멍게 그런 차이가 있는 거래, 첨부터 개성이래. 또 인간성을 지니고 있다니, 동물의 인간성, 이상한 말인가?

개성이요? 인간성도? 감정 이입을 인간적이라고 한다면 거야 그러겠네요. 개들의 감정 이입 능력 대단하잖아요. 주인의 무덤을 7년을 지켰다던가 뭐 그런.

그 정도를 넘는다니까. 쥐들이 알츠하이머를 피하는 방식이라거나, 모르모트가 사회적 스트레스를 피하는 법?

쥐가 알츠하이머에 걸려요? 그걸 예방도 하고?

뇌 구조가, 아예 기능이 같은 거라네.

알츠하이머 – 요즈음 들어 드물지 않게 듣는 단어다. 곧 죽는 질병은 아니지만 비가역적이라는 말을 처음 들었을 때 애매해서 사전을 찾아보았던 생각이 난다. 치료해도 이전 상태로 회복될 수 없다는, 그냥 치료 불가라는 뜻이다. 정말 질병인가 아닌가 질병 코드도 찾아보았다. 있다. F00. 손가락 사전 참 좋다. 온갖 지식이, 세상이, 내 손안에 있소이다!

그런데 알츠하이머 등 뭐든 치매 같은 것을 앓게 된다면, 치매 환자가 된다면, 이 시시함과 허무감 대신 가벼운 만족감에서 지낼 수 있으려나? 내가 벌써 신경세포 손상으로 지능, 의지, 기억 따위가 지속적으로 본질적으로 상실되는 그 병에 노출될 리는 없다. 생각만으로도 무섭다. 언젠가 지능이 떨어지고 기억이 사라지는 것까지는 크게 손해될 것이 없다는 생각도 든다. 지능과 기억으로 특별히 해야 할 일도 없어질 테니까. 하지만 의지가 상실된다니!

의지가 상실된 상태 – 그런 일을 100퍼센트 피할 수 있다는 보장은 어디에도 없다.

그러니 소확행인가. 그저 따뜻하게 그렇게 살라고?

소확행 – '갓 구운 빵을 손으로 찢어 먹는 것, 서랍 안에 반듯하게 접어 넣은 속옷이 잔뜩 쌓여 있는 것, 새로 산 정결한 면 냄새가 풍기는 하얀 셔츠를 머리에서부터 뒤집어쓸 때의 기분……' 어느 일본 작가가 30년 전에 쓴 말이 이제 와서 한국에 퍼뜨려졌단다. 물론 그 자체로서는 기분 상쾌해지는 장면이다. 냄비에 갓지어 고슬고슬한 밥에 섞박지 무 한쪽을 얹어서……. 그런 안락한 순간을 말하자면 나라도 열 스물은 센다. 하지만 안식과 힐링, 그것도 젊은 나이에 안식과 힐링만을 구한다면 다들 늙은이야? 늙은이라고 해서 안식과 힐링만 구하라는 법도 없지.

일전에 동기들 단톡에서 누군가 말했었다.

젊어서는 눈 뜨면 무슨 일이 일어나길 바랐는데, 이젠 제발 아무 일 없기를 바라네.

뭐라? 아무 일 없기를 바라면서 눈을 뜬다? 그런 것 같기도 하지만 서글펐다. 아무 일 없기만을 바란다면 사는 것일까? 무엇하러 눈을 뜨나? 잠이 깨니까 일어나고, 배가 고프니까 먹고……. 그보다는 조금 더 무엇인가를 느끼고 싶었다. 느껴야 한다고 느꼈다.

여생이라고, 그런 단어는 없어. 없어야 해. 사는 날까지 생이지.

한마디 보탰다. 손가락이 방정이다.

무안했을까? 활동성이 줄어드는 것은 활동성에 관해서만 맞는 말이다. 활동성이야 어림과 젊음과 늙음 사이 포물선을 인정한다. 하지만 생이라고 하는 것이 활동성이 전부는 아니다. 생은 소멸 전까지 생이다. 어떤 형태로든 생이다. 그렇게 긴 말을 쓰지는 않았다. 철학하시네! 잘난 체는! 그 다음 말들이 미리 들렸다. 그냥 넘어가 주는 법이 없어요. 누구 무서워 말 올리겠냐. 언제부터 저리 '까탈스럽게' 되었다냐. 귀가 아프다. 한마디 보탠 걸 후회했다. 삭제하고 싶다. 맨날 이렇다. 말하고 후회하고, 또 잊고서 말하고 후회한다.

후회라는 것은 요상한 놈이다. 무엇을 하고서도 후회하지만, 놓아 버려서, 아무것도 하지 않아서도 후회한다. 사는 일에서 무엇인가가 새는 걸 막지 않으면 정말 낭패다. 새는 줄도 모르고 있다면 더욱 난감해진다. 대부분 몰라서 방치하게 된다. 알고도 모르는 척 살기도 한다. 현상 유지가 중요할 때도 있다. 나의 현상은…… 언제부터인가 근처에 있었고 언제부터인가 남편이 된 이 사람과의 공동생활이다. 그 나름대로 안정된 수입과 화초 기르는 취미를 가진 남자다. 이이는 모가 나지 않아서 어디에고 부딪거나 그러지 않을 것이다. 혹시 그렇더라도 그리 크게 부서지지 않을 것임에 틀림없다. 의과대학에 다니는 학생들, 의대생들은 공부가 너무 부담되어서 S주의에 물든다거나 하는 잡념(?)의 기회가 적었을까. 오빠는 의대를 그만두었지만, 개인적인 문제였지 사회와의 갈등 때문은 아니었다. 그냥 내 생각이 그렇다. 오빠의 그 당찬 여학생 후배는 오빠의 맘을 알았는지 몰랐는지, 오빠의 상처를 아는지 모르는지. 그냥 의대 잘 마치고 성형외과를 개업해서 거의 떵떵거리고 산단다. 지방의대 출신답지 않게 강남 복판에다 병원을 내는 배짱이 배팅의 성공이었다고! 연예인도 드나든다는 그 병원의 1㎡는 얼마나 값이 나갈까. 의대 동문의 날이면 그 성공 신화가 둥둥 떠다닌단다. 오빠가 그렇게 떵떵거리는 사업가(?) 아내와 살아간다는 상상은 불가능하다. 오빠가 의대를, 그 '후배'를 피해 달아난 것은 잘한 일이었을 것이다. 누가 무엇을 선택하든 그것은 대개의 경우 잘한 일이다. 무엇인가를 못 견디어서 피했거나, 무엇인가를 죽도록 좋아서 선택했거나 다 잘한 일이다. '기회비용'은 기회였을 뿐, 돈은 매몰비용으로 사용된다. 아니, 이미 사용되었으므로 기회비용이 아른거릴 뿐이다. 프로스트의 「가지 않은 길」이란 시에 보듯, 가지 않은 길은 다만 동경으로 남는다. 간 일이, 그러니까 걸어온 길이 잘 온 길이다. 무엇인가가 좀 빠져나간, 누수 정도의 상흔이면 좀 어떤가. 견디면 견디는 것이다. 만일 현재의 삶이 녹아내리지만 않는다면 말이다. 소금 가마니에서 녹아내린 물이 천천히 시멘트를 삭였듯이, 그런 상황만 아니면 되리라.

　살림집 아파트가 낙원구 행복동 어딘가에서 날마다 올라간다. 간헐적으로 누수 문제가 터지고, 성가시고 돈도 들지만 공사를 하면 막는다. 막아진다. 이 아파트는 아직 단단하다. 단단해 보인다. 더구나 앞뒤 발코니 모두 누수 공사를 마치면 거의 완벽해질 것이다.

내게서 새어 나가는 것은 무엇으로 막을까. 내게서 새어 나가는 것은 어쩌면 실존의 파편들이다. 미세한 파편이지만 끊임없이 새는 느낌. 이 느낌 때문에 말라 간다. 누수의 정체도 모르면서, 살아 있으면서 말라 가는 나무다.

나무

나방이나 채소밭의 상추도 밤에 달을
쳐다보면서 어쩌면 꿈을 꿀지도 몰라요.
— W. G. 제발트, 『아우스터리츠』에서

나무를 사 올까 봐. 나무 심는 식목일이네, 벌써.

퇴근길에 말예요?

응. 작은 꽃나무를 고를까? 낼 쉬는 날이고. 아차, 낼은 마침 산소에 가는 날이네, 4월 첫 토요일. 이번엔 한식과도 맞아떨어졌으니 딱 좋네. 산에다 심을 거면 좀 큰 나무를 살까?

산에다 나무를?

그냥. 사방에 산불도 나 쌓고. 올핸, 낼 한번 같이 다녀올까? 생각해 둬요.

닫히는 문과 함께 사라지는 말꼬리에 대꾸를 하지 않았다.

우선 소파에 털썩 앉아서 달력을 들여다본다. 낼이 시제라고? 오늘 식목일은 청명과 겹치고, 낼은 한식, 다음은 음력으로 집는 삼짇날이다.

언제부터인가 시월상달의 시제는 봄으로 옮겨졌다. 음력 시월이면 눈 내리던 풍경일 때도 있었다. 시월 보름치는 '꾸어다'라도 한다 했던가? 보름께 올 눈비가 미리 올 때도 있었고, 바람까지 부는 언덕은 늘 추웠다. 나무들도 칼바람을 가려 주지는 못했다. 음복이라고, 바깥에서 먹는 음식들은 다 식어 빠지고 말랐어도 유쾌하게들 먹었다. 밥은 그런대로 스티로폼 박스에 보관해서 미지근하지만, 코펠 두 개로 끓여 대도 국물을 데우기가 문제였다. 어떻거나 세월은 흐른다. 집안마다 어른들이 세상을 뜨시고 땅속으로 자리를 옮겨 갔다. 차츰 세대가 바뀌니 참석자들이 점점 줄었다. 방식에서도 이것저것 원칙을 지키려는 뜻이 수그러들었다.

우선 축문을 한자로 쓰거나 읽을 수 있는 사람들이 드물었고, 한글로 써 오기 시작했지만 그것도 어색해 했다. 소지(燒紙)를 두고서도 의견이 분분했다. 축문을 잘 못 읽더라도 분축(焚祝)이 대신해 주니까, 우리들 기원이 충분히 전달되라고 하는 것이제. 암, 연기와 그을음이 하늘 높이 오를수록 감응이 크시지요. 손바닥으로 축문을 들어 올리는 시늉을 해 가면서 소지를 생략할 수는 없다는 의견도 있었다. 반대도 만만찮았다. 밭두렁에서만 산불이

비화되는 것 아니라고, 축문 태우다 산불 내는 것을 조상님들이 원할 것 같냐고. 축문을 못 태울 거면 쓰지도 읽지도 말라요 뭐요, 설마. 갑론을박에서는 매사에 매우 이성적인 사람들이 결정권을 쥔다. 그래도 그쪽도 향불까지는 어쩌지 못했다. 절이 끝나면 향대 가득 생수를 부어 향을 끈다. 아예 불씨를 말린다, 아니 적신다. 꺼진 불도 다시 보자, 좋은 일이다. 상차림도 완전히 간소화되어 주과포로 한정되었으니 따로 불 피울 일도 없다. 삼삼오오 차들로 나누어 타고 어느 식당에 가서 함께 점심을 나눈다. 이만하면 되었지, 조상님들도 우릴 기특하다 여길 것이네. 조상님들 아니라면 이리 모이기가 쉬운가. 옳은 말이다. 크게 나눌 것 없으니 다툴 것도 없는 일가들, 화기애애하다.

부엌은 아직 널브러진 채다. 아침 차리고 먹고 설거지, 점심 차리고 먹고 설거지, 저녁 차리고 먹고 설거지. 꼭 밥을 먹고 나면 그때야 오는 거지가 뭘까요? 답은 설거지! 며칠 전 라디오 영어방송에서 느닷없이 한국말 아재개그가 흘러나왔으니 웃을밖에. 오늘은 그리 웃고 싶지 않다. 설거지하면서 벌써 다음 끼니 반찬 생각이라니, 무얼 먹을까. 무얼 먹을까. 무얼 먹을까. 무얼……

삼짇날엔 진달래 화전이 얌전하다지만 맛은 여린 쑥을 따다 섞어서 찐 쑥버무리가 일품이다. 내일 쑥버무리나 좀 해서 따라 나설까. 근년 들어서는 여자들이 음식에 매달리는 일은 사라졌다. 혹시 떡을 찌게 되면 오미자차나 보온통 하나 가득 담아가면 되겠지. 오지랖도! 뭣 하러 종일 부엌에 틀어박히나. 시키지도 않은 짓을 사서 할 것까지는 없지. 봄날을 즐기면 될 일이다.

봄은 4월이 되어야 봄 같다. 소프라노로 불리던 4월의 노래가 떠오른다, 4월의 시다. '돌아온 사월은 생명의 등불을 밝혀든다', '빛나는 꿈의 계절아' 하더니, 왜 또 '눈물 어린 무지개 계절아'라고 읊었을까. 이 행은 앞뒤가 맞지 않다. 내가 원래 시적 감응력이 낮아서 그러겠지만, 이해가 잘 안 된다. 빛나는 꿈이 눈물 어린 무지개가 된다!? 시인들을, 시를 곧장 이해하기란 난수표 해독이나 다름없다. 세기의 시인이라는 누군가는 '죽은 땅에서 라일락을 키워 내고…… 잠든 뿌리를 봄비로 깨우는' 시간이라면서 4월을 왜 가장 잔인한 달이라 읊었을까. 100년쯤 흘러 먼 나라에서 막 피어나는 라일락 송이들을 몇백 송이째로 깊은 바다 속에 수장할 것을 미리 감지라도 했다는 말일까. 시인은 예언자도 신도 아닐 텐데.

아서라. 4월은 자연스럽게 무엇인가 움트는 시간임이 분명하다. '머리맡에 씨앗을 두고 자는 달'이란 긴 이름으로 4월을 부르는 인디언도 있다고 했다. 비슷한 다른 인디언들은 '생의 기쁨을 느끼게 하는 달'이랬다지. 씨앗을 뿌리며 느끼는 기쁨만 한 것이 있을까. 내 손으로 뿌린 씨앗이 뭐였더라? 있기나 한가? 분꽃 몇 알? 먹을 것이 아닌 볼 것을 위한 씨앗이지만, 귀하기는 마찬가지였다. 새까만 씨앗에서 어찌 그리 예쁜 꽃이 피어날까. 경이롭다는 말은 씨앗이 싹을 틔우는 것을 보는 일에 쓰는 게 가장 적합하다. 게다가 꽃잎이라니! 유용성은 다음 일이다. 먹을 수 있는 것만 유용한 것도 아니다. 배가 불러도 불러도 불행한 사람들도 있으니까. 나 또한 배가 불러서 이러고 꼼짝 않고 앉아만 있는 것인지.

전화다. 집 전화다.

핸폰 왜 안 받아? 카톡도 안 보고!

안 받았어? 가만, 어딨더라? 충전기에 안 꽂혀 있는데 어딨나! 미안. 그런데 왜? 아침부터 급해서 전화야?

티비 안 보고 있냐고!

왜?

밤새, 아니 아침에도 티비 안 보냐고!

뭐, 산불 말야?

텔레비전을 켜니 불길이 아직도 훤하다. 무서우리만치 타고 있다. 밤새 손을 쓸 수 없었단다. 동 튼 지가 언제인데 여태도 못 잡았을까? 아니, 그 이상이다. 소나무 가지들이 송진으로 불타며 비화해서 100km를 날아갔단다. 100km? 울릉도라면 독도를 넘어? 설마 잘 못 들었나? 강 건너 불구경이라고, 텔레비전을 보고 앉아서는 할 수 있는 일이라곤 없다.

정인이, 정인이 강릉 간 거 알지?

아차!

그래, 어제 갔댔잖아. 케이티엑스 덕에 아침은 서울에서 먹고 강릉 가서 여유 있게 점심 먹고 있다고 자랑질이더니. 오후엔 경포대 바다를 볼 거라고 하더니만.

이 썰렁한 봄날 무슨 바닷가를.

바닷가 타령이 아니라니까. 강릉 1박이라고 했으니 이 불길 속에 강릉에 있었다는 말인데, 지금 연락이 안 된다니까.

호들갑이네. 그곳 사람들 집들이 문제지, 관광객들이야 빠져나왔으면 된 것 아냐?

설마겠지만, 여자들만 갔다는데 일단 걱정이 되잖냐.

별일이야 있을라고.

하긴. 그런데 올케가 발언권이 세서 좋은 일도 있더라고. 그 집은 시누올케들만 남자들 다 떼어 놓고 잘도 뭉치더라고. 해외도 가요, 며칠씩이나. 하긴 해외여행이야 어차피 여자들이 대세 아닌가. 남자들은 직장에 매어 있는 동안에.

그러니 어쩌자고?

몰라 몰라. 그냥 연락이 안 되니까 여기저기 돌리고 있지.

뉴스를 보면…….

친구가 불길 속인데 뉴스만 보고 있어? 매정하긴! 끊어!

성주는 전화를 걸었을 때와 마찬가지로 급하게 돌아선다.

매정하긴! 그래, 매정하다. 나는 매정한 편이다.

남이 씨, 그렇게 매정한 사람 아니잖아.

아뇨, 나 매정해요. 인정머리 없고 매정한 사람, 그게 나예요.

매사에 이런 식이다. 내가 따뜻함 넘치는 푸근한 전업주부의 인상을 주지 못함을 알고 있다. 지적인 커리어우먼도 아닌 것이 따뜻한 사람 냄새도 없으니, 뭔지 누구에게라 할 것 없이 미안하다. 함께 살아가는 이웃들 모두에게? 똑부, 똑게, 멍부, 멍게! 누가 그런 분류를 해 놓은 것인지. 분명 똑똑하면서도 부지런한 사람들이 있다. 반면 멍게는 나를 두고 하는 말이다. 멍청하고 게으르고. 공감하는 일조차도 멍하고 게으르니까.

게으르지 말자. 멍청한 건 못 고쳐도 게으름은 개선할 수 있겠지. 우선 설거지나 마저 끝내자. 점심은 굶자. 간단하다. 간단한 하루가 흐른다.

조용한 한낮이다. 정인이 소식은 아직 없다. 평상시의 정인으로 봐서 별일은 없을 게다. 넷플릭스 ― 영화의 세상으로 가 보자. 두 시간은 좋게 지나갈 것이다.

텔레비전에서 영화 이야기가 진지하게 흐르는 것을 본 적이 있다. 거기서 들었던 어떤 제목을 검색해 보았더니 아직 넷플릭스에 들어오지 않았다. 눈에 띄는 제목들도 있다. 〈내가 너를 사랑할 수 없는 10가지 이유〉 ― 셰익스피어의 「말괄량이 길들이기」의 변형이라는데. 아니, 청소년 버전인 모양, 패스! 〈첫 키스만 50번째〉 ― 뭐야, 기억상실증인가? 정말 그렇다네. 단기기억상실증으로 매일 만나는 남자를 매일 처음 만나는 것이라고 생각하는 여자의 이야기란다. 첫 키스? 사랑은 키스로 시작되는가? 그럼 나에게 사랑은 없는 것이다. 고개를 젓게 된다. 입맞춤이 그리 쉬운가. 그것이 사랑의 충분조건인지 모르겠지만 필수조건은 아니다. 머리카락을 만지는 것을 싫어하는 사람이 있듯이 입맞춤을 싫어하는 사람도 있어 마땅하다.

조용해! 엘뤼아르가 말한다. '포도로 포도주를 만들고 / 숯으로 불을 지피며 / 입맞춤으로 인간을 만드는 것 / 그것이 인간의 뜨거운 법이다.'

'쇼드 르와', 엘뤼아르님, 죄송합니다. '입맞춤'은 그냥 상징으로 쓴 거죠? 진짜 묻고 싶은 것, 물을 수 없는 것은 그 제목이다. 「좋은 정의」라고? 좋지 않은 정의가 있다는 말인가요?

아차, 이건 아니다. 헛소리가 들리기 시작하면 걷잡을 수 없게 된다. 대문 밖으로 나가자. 아스팔트를 조금만 걸으면 흙길도 나온다. 길이라기보다는 도로 아래 천변의 산책로에 오솔길만큼 흙길이 남아 있다. 치유로서의 흙길을 찾아보자. 맑고 따뜻한 봄날씨라더니 변덕을 부린다. 빗방울 냄새가 난다. 벌써 빗소리가 들린다. 몇 걸음 걷지 못하고 집으로 향한다. 천변으로 오르내리는 층계 근처에 노점상이 있다. 오징어튀김과 어묵이랑 떡볶이를 판다. 요샌 김밥도 있다. 봄날 어울리는 메뉴는 없다. 봄날엔 봄날엔 봄날엔……. 봄날에도 배는 고프다. 아침에 뭘 먹었더라? 지금은 몇 시나 되었을까. 정인인 왜 여태도 소식이 없나. 오징어튀

김과 어묵과 떡볶이를 보다가 김밥을 집어 들고 들어왔다.

점심 거른다는 거짓말. 김치 통에서 큰 무쪽만 달랑 하나 꺼내서 김밥을 씹는다. 아, 역시 여러 가지 맛이 서로를 죽인다. 왜 김밥에는 여러 가지가 한꺼번에 들어갈까. 우엉김밥, 계란김밥 그런 것은 왜 없을까. 일본 사람이 하는 초밥집에서 오이김밥을 먹었던 기억을 떠올린다. 수십 개 메뉴 중에서 오이김밥을 주문했는데 정말 오이만 달랑 들어 있었다. 일본어는 완전 깡통에 영어도 별로라서 겨우 큐컴버를 알아보고 시켰을 뿐인데, 너무 괜찮았다. 평소에 내가 김밥을 헤집고 속을 빼내면 함께 먹는 사람들이 으레 한마디씩 한다. 자장면이나 비빔밥을 비비지 않고 먹을 때도 더러 궁시렁댄다. 이렇게 혼밥이니 누가 나를 탓할 일은 없겠다. 이럴 거면 그냥 묵은 김치를 잘 씻어 물기를 빼고 햇반을 하나 덥혀서 김밥을 말 걸 그랬다는 후회가 스민다.

톡! 단톡에 정인이다.

내 걱정들 했었네! 미안. 남정인 완전 무사함다. 서울 팀들 따라서 어제 강릉 철수, 서울 가서 밤새 놀았음. 늦잠 자고 뭐 좀 먹고 톡 볼 시간 없었음ㅠㅠ.

됐다, 그만. 우리 모두 성주 등쌀에 괜스레 놀랐지 뭐.

성주 미안! 고맙고! 울 나라 기차 엄청 대단해. 새벽에 눈 비비고 출발, 서울서 아침 먹고 강릉서 점심 상상돼남. 경포대가 당일이야!

옹심이 맛 워뗘?

메밀전병 먹고파.

마음대로 드쇼! 직접 가서 먹어보삼! 강릉역 출발 시티투어 있네. 10시 전 강릉역 도착해야 하니 당일은 불가. 2박 3일 함 하자. 오죽헌, 주문진수산시장, 도깨비 촬영지 해변가, 당근 정동진 포함. 제대로 못 보고 와서 엄청 서운.

못 보고 나오길 천만다행. 불구덩이 속 어쩔 뻔!

아슬아슬하지도 않아? 거길 또 갈 맘 난겨? 언제 불똥이 날아올지 모르는 델?

이 불이 여름까지 쭉 타고 있다고 하냐?

비화! 날아다니는 불! 그거 소나무라 더 그렇다네. 옛날 불쏘시개로 송진 썼잖아.

완전 벌거숭이, 새까만 숲, 상상 안 돼.

암튼 벌거숭이 숲 보려고 관광객 밀릴 일 없을 테니 함 가자.

밀리긴. 관광지 유지되려나 몰라. 웬만히 타 버렸어야지.

그러니 더 가 보자. 숲 말고, 시티투어 말고, 경포대 가자니까.

누구 경포대 목매는 사람 있다냐?

한두 사람 카톡에 따라 붙더니 곧 수다로 수선스러워진다.

나! 라고 하려다가 말았다. 친구들이 그때 그 옛날 일을 기억하고서 저러는 걸까. 강산이 서너 번 바뀌기 전 옛날이었다.

경포대로 갈 거다, 우린.

철없던 그때, 내게서 뜬금없이 튀어나온 말이 경포대였다.

어딘데? 언제? 왜?

동해안 말이야, 여기선 꽤 먼 곳이라서 가 보고 싶을까. 한국에서 가장 아름다운 모래사장이래. 1㎞도 넘는 해변을 거닐며……

뭐야, 누구랑?

아니 뭐, 언젠가 결혼을 하면 말야.

결혼? 너 결혼 생각하는 누군가 있어? 그런 거야?

이 엉큼이 응큼이! 누구였더라, 날 막 때리는 시늉을 했었는데.

신혼여행을 경포대로? 무슨 꿍꿍이로 느닷없는 동해바다?

기껏? 신혼여행이면 제주도엘 가야지. 서귀포의 낭만을……

아니, 대체 누구랑! 지금 장소가 문제가 아냐, 누구냐니까!

그때 벌써 우리는 전통과 서양이 뒤범벅되는 시절을 살고 있었다. 전통혼례는 이미 촌스러웠고, 새하얀 웨딩드레스가 로망이었다. 명화극장에서 본 〈졸업〉에서처럼 하얀 웨딩드레스를 입고. 물론 도망은 아닌, 처음부터 마음에 드는 신랑과…….

우리는 〈졸업〉의 마지막 장면 때문에도 개똥철학을 폈었다. 버스에 올라앉은 둘을 위한 테마 음악이 '침묵'이었기 때문에, 마지막 그 애매모호한 표정 때문에, 그 불안한 눈빛 때문에. 하긴 젊음이란 개똥철학을 먹고 사는 시간이었다.

누구나 그 나름 새로운 출발을 두려워하기 마련이다. 출발을 생각하는 것만으로도 이미 변혁이다. 그럼에도 출발은 생각과는 다른 출발이기 십상이다. 나도 처음으로 새로운 출발을 생각했었던 경우와는 전혀 다른 출발을 했다. 경포대는 꿈꾸다 만 셈이고, 신혼여행지는 정 반대쪽 남쪽이었다. 마침 겨울이라서 남쪽이 안성맞춤이기도 했다. 그런데 밤새 눈이 많이 쌓였다. 남북을 관통하는 큰 도로에는 차가 오르질 못해서 호텔 근처 정방폭포만 봤을 뿐 종일 호텔에서 어슬렁거렸다. 찬바람에도 잘 다듬어진 해변을 거닐면서 경포대 바닷가 생각을…… 하지 않았다면 거짓말이다.

귀가 윙윙거렸다. 하늘이 바다 속으로 곤두박질쳤다.

남이 씨, 나남이 씨!

허겁지겁 나를 부축하여 일으키는 신랑을 밀치다시피 다시 한 번 고꾸라졌다. 호텔 로비 쪽으로 들어오자마자 그는 나를 긴 의자에 눕혔다. 그리고는 곧 얼굴 양쪽을 붙잡고 흔들었다. 아득히 의식은 있었다. 제가 의삽니다, 신랑이고요. 걱정들 마십시오. 자, 비키세요. 사람들이 몇 모여들었는데, 제복을 입은 직원들도 있었던 것 같다. 괜찮습니다, 저리 좀 비키세요!

그렇게 곧 동서남북을 회복한 내가 어찌어찌 앉을 수 있게 되자 그때서야 사람들이 흩어졌다. 그렇게 더 얼마를 앉아 있던 내게 그는 뜨거운 커피를 가져왔다. 괜찮은 거죠? 괜찮죠, 남이 씨?

괜찮은 거냐, 남아! 너 괜찮아? 너 정말 괜찮은 거냐고!

시간을 거슬러 가면서 가슴이 떨려 온다. 나는 정말 괜찮다! 나는 그때도 괜찮았고, 지금도 괜찮다. 그 뒤로도 어쩌다 이석증이 일어나 성가신 일이 있었지만, 그건 아무래도 좋았다. 지나가면 흔적이 없으니까. 내가 처음 이석증을 일으킨 그날 그 남쪽 바닷가에서는 느닷없이 들려온 소리들, 그런 소리들이 문제였었다.

남아, 우리 언제 경포대 가자. 그 모래밭 끝자락에서 순비기나무꽃 찾아볼까 싶어. 중부 이남에 피는 꽃이라지만 난 꼭 경포대쯤에도 피는지 찾아보고 싶단 말야.

왜 하필 순비기?

아니 뭐. 내한성, 내염성을 다 갖췄으니, 좀 춥더라도 그 바닷가에서도 살아 있지 싶어서. 있더라도 잘 안 보여서 세심하게 찾아봐야 해. 회색빛 잔털에 벽자색 자잘한 꽃망울들이 다닥다닥 붙어 있는데, 얼른 눈에 띄지 않지. 꽃을 보려면 여름에 한 번 가자.

벽자색이 뭔데? 푸른 자색?

푸르스름한 회색빛. 푸르스름 보라스름 그런 회색.

보라스름이 다 뭐야! 응, 알겠어, 보라 냄새!

보라 냄새는 또 뭐야. 색깔에 무슨 냄새!

색깔마다 냄새가 왜 없어! 어떤 보라에서는 제비꽃 냄새, 어떤 보라에서는…….

에이, 그거야 나도 알지. 핏빛에서는 피 냄새!

그만해. 그건 아냐.

나는 정말 괜찮고, 순비기나무꽃을 찾던 선배도 괜찮을 것이다. 우린 경포대에 간 적도 없으니까 괜찮지 않을 이유가 없다. 우리는 입술을 살짝, 아주 살짝 스친 듯 그만큼만 가까웠고, 입술을 아주 살짝, 아주 아주 살짝 포갠 사이란 아무 사이도 아니니까. 다만 더는 누구와도 입술을 포갤 수 없는 것, 그것은 그냥 내 문제다. 곰곰 생각해 보면, 어느 두 사람 사이에서 입술을 포개는 것은 대단한 접촉인 것 같기도 하다. 입술이야말로 싱그러움과 관련된 어떤 신성한 곳이니까. 그에 비해 남녀의 접촉이라고 할 때 흔히 떠올리는 거기 그곳은 생명의 창조와 관련된다 하더라도 적나라한 열기와 혼돈과……

아이스 블루 톤이다. 톡이 아닌 전화 소리다.

남이야, 나.

그래 정인아, 왜? 톡 봤는데, 보고 있었어. 안심했어. 산불 용케 피했으니 잘 됐다 뭐.

남이야, 나.

뭐? 왜?

나, 누굴 슬쩍 본 것 같아.

누구를?

그 선배, 식물인간.

뭐라고? 식물……, 그러니까 선배를? 언제, 어떻게?

강릉에서지 어디야. 바닷가에서 나와서 감자옹심이 먹으러 가는 중에. 길에 지나가는 사람인데 왜 그리 닮았는지.

설마.

지나가는 모습이 틀림없었어. 옆 사람이 귀에 올려 대고 말을 하는데, 약간 오른쪽으로 기우뚱하고 그렇게 들으면서 걸어가는 모습이…… 그 뭔가 독특한 자세 있잖아.

시끄러, 잠시 지나가는 사람 모습을 보고 웬 옛날 생각을 해. 세월이 언젠데.

가슴이 덜커덩, 내가 왜 덜커덩이었는지, 암튼 틀림없었다니까. 애들 톡방엔 쉬쉬할게 염려 마.

약간 기우뚱하고서…….

그랬다. 그는 그때 젊은 시절에도 약간 기우뚱 기울고서 걸었다. 키가 비쩍 커서 그렇기도 하지만, 사람들의 말을 잘 듣기 위해서다. 실루엣을 보면 피사의 사탑이었다. 가까운 친구들은 그를 가리켜 피사라고도 했다. 물론 아까 정인이 말대로 식물인간이라고 돌려서 말하는 게 보통이었다. 그 시절 우린 참 너무나 순진해서 남자친구 이름들을 대놓고 부르지도 못했었다. 식물인간이라고 하는 것은 그가 뭔가 동물적인 에너지를 발휘하는 화끈한 멋이 없었기 때문이었지만, 또 그가 입만 벌리면 식물 이야기를 했기 때문이다.

식물 이야기. 나는 지금도 식물 이야기를 듣는다. 좋아한다. 그의 입을 통해서는 아니지만, 식물 이야기는 널려 있다. 『나무수업』이라는 책도 재밌다. 『동물 속의 인간』보다 더 먼저 번역된 책이다. 둘 다 독일인들이 쓴 것이 흥미롭다. 아니, 둘 다 인간적 식물과 인간적 동물에 대해서 쓴 것이 더 흥미롭다. 동물만 인간적인 것이 아니다. 나무들도 인간적이다. 인간적이라고 하는 부분은 우리 인간들처럼 공감 능력이 있다는 것을 넘는다. 경쟁하고 부대끼며 지혜를 발견하면서 살아간다는 점에서도 인간과 닮았다. 정말이냐고? 식물도 설마 그러냐고? 내가 식물 관련 책들을 다소 무조건 사 보는 습관이 있는 것은 부정할 수 없다. 그런 책들의 광고를 보면 그 식물인간이 저자일까 흠칫 놀라기도 하는 이 심정을 부정하지는 않겠다.

나무가 경쟁을 하는 것쯤은 우리들 감각으로도 안다. 햇빛은 중요한 경쟁대상이고, 햇빛 잘 드는 자리를 위해 다툴 것이라는 걸 안다. 다들 햇빛을 향해 키를 키우고, 햇빛 쪽으로 굽는다. 이태 전이던가 『나무수업』을 처음 읽었을 때 친구들에게 무슨 말을 하다가 그때도 호들갑이란 핀잔을 들었다. 5월 초 학교 후문에서 만나 점심 먹고 캠퍼스 내를 산책하던 때였다.

아, 이 이팝나무들 좀 봐. 곧 전체가 하얀 천지가 되겠네. 아카

176 숨

시아도 곧 만발할 테니까. 감탄사는 대게 정인이 시작한다.

그러게, 이건 팥배나무 아냐?

팥배건 콩배건, 난 정말 하얀 꽃들이 좋더라. 어쩜 이렇게 싱싱하게…….

나무도 영양분을 두고 친구들과도 적들과도 나눈대. 『나무수업』이란 책에서 봤어.

미쳤냐. 움직일 수도 없는 그놈들이 무엇을 나누고 어쩌고 그래.

아니, 막 움 터서 자라나는 새끼들에게 직사광선을 가려 주려는데, 옆의 나무들과 합세해서 큰 가지들로 가려 준대. 지나친 햇빛을 막는 거라고. 너무 빨리 자라서 아무것도 학습하지 못하는 것을 방지하는 거지. 겁 없이 막돼먹지 말고 느리게 자라기, 뭐 그런 것. 느리게 자란 놈들이 장수하는 거래.

말도 안 돼.

아스팔트 가로수들이 왜 빨리 죽냐면…….

죽냐면?

아스팔트로, 그러니까 숲을 떠난 아이들은 말하자면 집 나온 아이들이래. 처음엔 햇빛도 마음대로 누리고 뿌리도 맘껏 뻗지. 그러나 곧 아스팔트 속 단단한 물질들에 길은 막히고, 살려면 하수도관이라도 뚫어야 할 지경이 되는 거야. 몇백 미터도 자랄 뿌리들인데 막혀서는, 참 불쌍도 하지. 우린 숲의 나무를 데려온 순간 그들을 고아에 장애자로 만드는 것이야.

야, 여기 인간적 인간 나셨네. 얘가 요새 점점 더해요.

왜 그래. 일리 있는 말이다야.

그렇지. 동물 애호가들도 더 나아가 식물 애호가가 되어야 해. 난 물론 이기적 동물이라서 겨우 내 몸 내 주변 관리도 잘 못 하지만.

그러니까 나무들에게도 알맞은 삶의 형식이 있다는 말이지. 간단하네. 아스팔트로 끌려오지 말고, 그건 유배니까. 아니, 사람들 좋으라고 기쁨조 노예로 끌려온 것이네. 완벽한 흙, 적당한 온도와 수분을 갖춘 흙 속에서, 진짜 숲에서 성장하는 거야. 가능하면 같은 종끼리 모여서, 그러니까 사회적 욕구를 실현할 수 있도록. 언제 책 가져와 봐, 나도 좀 보자. 미선이 거들어 줘서 너무 다행이었다.

그렇다니까. 그렇게 해서 터득한 생존 지식을 후손에게 물려주는 거야.

뭐야, 식물들이 자녀 교육까지?

아니란 법 있어? 나무의 자녀 교육, 참 좋은 말이네. 나무답게 사는 법, 그런 책이 있을 법하네. 바람 소리로 전달되는 책이.

날아가라 날아가, 상상은 자유다!

상상 아니라니까. 숲 전문가, 동물 전문가들이 쓴 책이니까.

얘가 아직도! 너, 책을 100퍼센트 신뢰하는 거야? 까만 글씨면 무작정 모두 믿느냐고!

난 글씨를 믿는 편인가 보다. 까만 글씨, 인쇄되어 있는 말은 확실히 무겁다. 말은 다소 즉흥적으로 튀어나오니까 독이 묻어도 살짝 묻은 것이지만, 글은 다르다. 곰곰 생각했고, 썼고, 아마 다 듣었고…….

나무들 일단 들여올까?

대문을 열다 말고 그이가 말만 먼저 들여보낸다.

어, 왔어요? 나무들 큰 거예요? 뭘 샀는데! 뭐가 되었건 들여오세요. 웬만하면 현관에 뒀다가 가져가야죠. 차 안에다 두면 불쌍해.

그런 남이 씨는 불쌍하지 않게 집 밖에 나갔나요? 오늘도 집 안에만 있었어?

그냥 좀. 빗방울 때문에.

그렇다니까. 사람이 바깥바람을 쐬어야, 통풍이 돼야……. 내 무서운 말 한번 할까? 외로움은 치매의 지름길이에요!

치이!

미안, 미안. 여기 봐요, 자잘한 것 두 종류. 둥근 측백, 이것들은 양쪽으로 심을까 해서 둘. 또 배롱나무가 좋을 거래서 하나 샀네, 자손들이 우애를 한다나 뭐라나. 장소가 아직 마땅치는 않지만, 낼 보고서 심으면 되겠지.

배롱나무는! 가로수로 널려 있는 게 배롱나무들 아녜요? 새삼스럽네.

좋은 게 좋은 거니까.

말문이 막힌다. 사이좋게? 누구? 없는 자손들 사이 좋으라니. 오지랖도 참! 어떻게든 화제를 돌려야 한다.

대충 씻고 와요! 저녁이 좀 늦었네요.

아무래도 나무들 고르다 보니까.

오늘 반찬은 밖에서 장만해 왔으니 걱정 없네요.

내가? 내가 밖에서 반찬 장만을?

예, 울 할머니가 '가만 있거라, 반찬 장만해서 먹자.' 그러시면, 좀 기다렸다 시장하거든 먹자는 말씀이셨거든요. 실은 아버지 기다리시면서.

그런가. 시장이 반찬이다, 그 말이군. 그런데, 와우, 이 부추전! 이런 거면 배가 안 고파도 맛이 넘치겠네요. 물오징어에 알새우까지 넣어 주니 입이 호강이군. 내가 오늘도 뭘 그리 잘 살았나!

애 많이 쓰셨죠! 환자 보는 의사님들 모두.

감기 환자들 기침 냄새 가래 냄새 맡고……. 이런 말은 밖으로 내뱉지는 않는다. 그런 생각만으로 난 벌써 음식이 목에 걸린다. 애를 써서 먹을 양식을 버는 일이 짠하다. 남편뿐 아니라 세상 누구나 다 짠하다. 먹을 것을 벌어야 하는 생명체의 숙명이라니!

대강 치우고 앉으니 텔레비전에서는 여전히 불길이 활활 타고 있다.

속초의료원 큰일 날 뻔했더만. 세상엔 괜찮은 사람들이 더 많아. 지성으로 환자 대피시키고 보호하고.

어쩌냐. 숲이 저렇게 완전히 타 버리면 개미가 돌아오는 데에도 13년이 걸린다네요.

그러게나. 그런데, 개미? 개미라고? 남이 씨 개미 무서워하지 않았어?

무서워하기까지는. 예, 개미 무섭죠. 어딘가로 옷 속으로 스며들 것 같은 느낌. 스멀스멀, 그래서 숲속에 잘 안 가죠.

안 가기는, 아예 못 가지. 우리 그러니까 숲속에 가 본 지 얼마나 되었을까.

갑자기 숲속은! 숲속에 꼭 함께 가야 되는 것도 아닌데 왜 안 가시고 그러시나?

아, 나야 가죠. 더러 가 봤죠. 남이 씨랑 숲속에 함께 갈 수 있을지 이제부터 희망을 가져도 되나 싶어, 반가워서 하는 소리지. 가까운 축령산 편백숲이라도 함께 가는 거요! 점심 먹고 거기 가면 피톤치드 확확 뿜어져 나오는 시간이니까 딱 좋을 텐데. 40킬로쯤인가, 한 시간도 안 걸려요. 개미 무서우면, 가자마자 비닐천막 깔개를 넓게 펴고 삥 둘러서 모기 진드기 약을 뿌리면…….

아서요. 누가 개미 무서워 안 간다고 했나요.

그럼 왜?

새삼스럽다. 내가 숲을 피한다는 생각을 왜 할까. 산소에 갈

일 있으면 대강 따라가는 편이다. 그러니까 일이 있으면 간다. 숲이나 밭이나 엄밀하게 말하자면 흙 속에는 작은 동식물들이 섞여 있는데, 그것들에 가끔 놀란다. '나방이나 채소밭의 상추도 밤에 달을 쳐다보면서 어쩌면 꿈을 꿀지도 모른다.' 비슷한 말을 읽은 기억이 난다. 그렇게 꿈꾸는 상추를 밟기도 하고 뽑아서 먹기까지 하면서 나방 애벌레를 보면 무섭다. 사람, 아니 어떤 위협적 생물의 발자국을 느끼면 동그랗게 몸을 말고서 도망가는 작은 생명들, 어쩌다가 으깨어져 뒹구는 물컹한 어떤 것들이 무섭다. 나를 해칠까 봐서 두려운 것이 아니라, 너와 내가 바뀌었을 상황이 생각나면서 무서운 것이다. 나는 너를 무심코 밟았고, 어쩌면 내가 너였을 수 있고, 그런 것 말이다. 동물들과는 동일시가 되나 보다. 그러니까 생명이 무섭다. 곧 또는 조만간 손상되거나 사라질 생명이 무서운 존재다.

남이 씨, 나남이 씨!

응, 예.

올봄엔 정말 숲에 한번 갑시다. 아스팔트로 계속 달리다가 잠깐 숲에 들어가는 건데 못 갈 것 없겠죠? 쌍계사 벚꽃 길을 섬진강 따라서 종일 걷는 사람들도 있대요. 우린 그냥 어디로든 30분만 걷다가 딱 뒤로 돌아 하고 오면 될 텐데.

그렇게 유명한 델 어찌 가려고요. 꽃구경은커녕 사람들에 떠밀리고.

사람 참. 사람이 사람 속에 섞이지 그럼 코끼리 사이에 섞일 테요?

철새 따라 섞이지, 날 수만 있다면.

철새라고? 철새라!

아니, 만일 우리가 어딘가 다른 동물 그런 데 섞일 수 있다면, 그런 상상이라도 해 본다면, 새가 낫죠. 것도 철 따라 이동하는 철새가.

웬 철새 찬양!

지금이 철새 대이동 시기니까 서해안에 가면 엄청난 새들을 볼 수 있다던데요. 우리나라 새들이 500종이면 텃새는 100종류도 안 되고.

어, 거의가 다 철새네!

왜 철새들은 이 시기엔 북쪽으로만 나는지. 두루미 기러기는 벌써 시베리아로 떠나고, 어떤 놈들은 일단 우리나라에 들렀다가 시베리아까지 올라갈 것이고. 삼짇날이니 제비도 남쪽에서 올라오겠네. 바다제비며 습새들 번식지도 따로 있대요, 가거도. 이름도 예쁜 가거도에.

남이 씨, 참. 워낙 방콕이 취미인 사람이라 철새 같은 건 전혀 관심 없는 줄 알았네요. 몇십 년을 함께 살아도 모르는 것이…….

그거야, 사람이 변해서죠. 누구라도 변하죠. 할 일 없이 앉아서, 뜸부기다 뭐다 노랫말 때문에, 아니면 시 같은 데에서 귀에 익은 새 이름들 찾아보다가. 그런데 난 파랑새가 진짜 새인 줄도 몰랐다니까요. 파랑새는 그냥 상징으로, 파란 꿈에 대한 상징 같은 것으로 알았죠.

직박구리 그 이름을 찾느라고 온갖 새 이름을 뒤졌다는 것은 말하지 않았다. 말할 수 없었다. 말할 수 없다. 새 울음소리 때문에 내 생전 처음 듣는 청혼을 흘려들었다고, 아니, 새 울음소리를 핑계로 청혼을 흘려들었노라고, 그것을 누구에게 말할 수 있단 말인가. 나랑 결혼해, 괜찮겠지? 난 정말 못 들었다. 괜찮겠지? 너 나랑 결혼하자고! 그렇게 가까운 소리를 흘려들으면서 나는 나무 위 새소리만 듣고 있었다. 하늘을 향해 내지르던 새소리, 나뭇가지 꼭대기, 먼 데 새소리만 들었다. 키 큰 은목서 위의 그놈들은 직박구리였다. 내 첫 이별의 자리에 함께했던 새, 새 이름을 뭣하러 애써 찾았는지, 누가 알랴. '홀우룩 빗죽새'라고도 불리는 시끄러운 직박구리, 그 울음소리에 대해서는 침묵해야 한다.

우리 남이 씨, 나는 한 마리 파랑새 되어 저 푸른 하늘로 날아가고파~ 그런 것이네.

뭐예요. 그 노랫말을 어떻게?

어떻게 외우냐고? 남이 씨 노래인데, 당근 나도 외우지. 사랑한 것은 너의 그림자, 지금은 사라진 사랑의 그림자~.

무슨 내 노래가 있다고.

그러게 말도 안 되는 소릴 왜 해요. 날 수 있다면 철새 따라간다는 소리는 뭣 하러. 죽었다 깨나도 사람이 날 수 있는 것도 아닌데.

말이 그렇다는 거죠 뭐. 찹쌀이 있으면 팥을 빌어다 찰밥을 해 먹을 텐데 시루가 있어야지, 그런다잖아요.

뭐예요? 찹쌀도 시루도 암것도 없다고? 우리 말 참 재밌네. 옛날이야기들엔 밥 타령이 많아.

좋아요, 말 나온 김에 찰밥을 찌죠. 낼 찰밥 해서 따라갈게요, 산소에.

어, 정말? 웬 찰밥! 여럿 먹이려면 남이 씨 힘들 텐데.

맛으로 나눠 먹을 것 좀 하는걸요. 다른 건 잘 못해도 찰밥 찌는 건 쉬워요. 찹쌀도 팥도 시루도 다 있는데요 뭐.

어마무시 고마워요!

낼 몇 시에 출발? 10시쯤 나갈 거죠? 그럼 시간 충분해요. 가만 나물 감이…….

혼잣말을 하면서 다시 부엌으로 향한다.

오늘 밤은 길어질 것이고, 그런대로 시간이 잘 갈 것 같다. 곡식들 꺼내려 뒤편 발코니로 나가 밖을 내다본다. 살짝 내리던 비는 멎었고 바람이 살랑거린다. 나뭇잎들도 살랑거린다. 여전히 비를 품은 냄새일까. 낼 산소 가는 일이 죽이 되든 밥이 되든, 비가 내려야 한다면 비가 내려야 한다. 먼 데 산불을 끄기 위해서라면 우리도 비를 맞자.

그 땅의 나무들은 언제나 돌아오려나. 개미들 돌아오고 나서도 또 그만큼의 시간이 흘러야 새들이 날아든다는데, 나무들은 또 몇 년을 더 기다려야 움터서 자랄 것인지. 그렇게 새로 자란 나무들을 보게 될 일은…… 아마 없을 것이다. 그들은 느릿느릿 저절로 자라나서 하늘을 가리도록 무성한 잎들을 낼 것이다. 누군가가 숨죽이고 자신들을 기다렸을 것일랑 꿈도 꾸지 못할 것이다. 훗날 새파란 아기들이 태어나면 그들 선조가 겪은 대재난을 이야기해 주려나.

애들아, 세상엔 피할 수 없는 재앙도 있는 법이란다. 불이라는 게 비화하면 우리 나무들은 속수무책으로 타 버린단다. 다만 그 잿더미 속에서 부활하는 기적을 꿈꾸는 거야. 어째도 꿈은 꾸는 거야. 살 떨리는 긴 기다림으로, 후훗, 살 한 점 남아 있지도 않았지. 그래도 흙은 우리를 영원히 버리지는 않는단다.

이름

이름이 문제라고, 이름이 중하다고, 그날따라 이름 쪽으로 화두가 빠지게 된 것은 사람들이 이러저러 모인 시제에서였다. 나무 두어 그루를 심는 걸 보면서, 배롱나무 이름을 두고 우김질이 났다.

쌀나무여, 요것이 세 번 피믄 쌀밥을 묵는다 그랬잖여.

그건 사투리고, 백일홍이제.

웬 백일홍! 백일홍은 꽃 아닌감, 자잘한 화초!

요것도 백일홍이라 그란다고, 목백일홍. 백일을 꽃 핀다고!

정작 서두르는 건 점심이었다. 최근 들어 아무리 간소해진 시제라지만, 시제 당일 점심에 국수를 먹게 될 것은 아무도 예상치 못한 일이었을 것이다. 식당을 찾느라 고생 좀 한 것이 지금도 마음에 걸린다. 하필 추어탕 집을 예약을 해 놓았을 게 뭐람. 가을도 아닌 봄날, 하고많은 식당들 놓아두고 추어탕이라니.

우리 집 유 원장도 문제였다. 그냥 추어탕 집엘 갔으면 나야 먹는 시늉하면서 조용히 끝났을 것을, 괜스레 엉뚱한 광고를 한 것이 병통이었다.

이 사람 추어탕 못 먹는데요.

추어탕 못 먹는 사람도 있다요?

예약을 해 놨을 턴디.

확실하게는 못 했지라, 숫자도 정확치 않으니께, 대강 열댓 명 갈 거라고만.

그람 냉큼 전화허면 되겠구만요.

그냥 가시게요, 찰밥도 있으니까 아무 데고 가서 나누어 먹으면 되네요.

설왕설래, 사실은 내가 준비한 찰밥도 병통이었다. 찰밥을 먹을 것이니까 한식집은 가지 말자. 그렇다고 삼겹살도 안 맞소! 어찌까이. 우왕좌왕 시간은 가고, 결국 국수거리에 가서 국수시켜 먹으면서 찰밥을 풀었으니. 찰밥이야 인기가 좋았지만 모처럼 모여 시원찮은 국수를 먹게 된 것이 나 때문인 터라 못내 미안했다. 다행히 국숫집은 점심때가 좀 지나서인지 한산했고, 반쯤은 옥외를 겸해서 떠들기도 적당했다.

나는 여 오면 세 그릇은 기본인디, 오늘은 찰밥을 묵응게 둘만 묵어야 쓰겄소! 집에서 찰밥을 쪄오시다니, 형수님 감사함다.

두 번째 비빔국수를 먹던 이가 따로 알은체를 했다. 그 사람은 고모네로 몇 촌 종매가 내 동창생인 점을 들어서 늘 그렇게 각별하게 안부를 묻곤 한다.

우리 신자 누님은, 아니 신우 누님은 고향에 자주 오던디, 가끔 만나지요?

자주 와요?

울 고모님이 요양병원에 계신디, 잘 찾아뵙는 효녀라요. 기사 딱 데리고 비까뻔쩍 외제차로 왔다 가곤 하는디, 멋지게 살지라. 딱 강남 싸모라.

그는 여러 사람이 다 듣게 큰 소리로 말했다.

근디 그것이 누님이 이름을 바꾸고부텀이라. 개명하고 나서부텀 확 펴분 것이제라. 긍게, 조상님 산소에다 무슨 나무를 심느냐, 것도 중하겠지만, 개명도 신통한 것입디다.

무슨 말씀을 그리 허나. 우덜 성자는 '유' 자인디, 그람 '유' 자가 안 좋으면 다 안 좋고 좋으면 다 좋단 말이여 뭐여?

긍게 누가 성씨 말인가요. 자기 이름자만큼은 개명도 할 수 있다 그 말이지라.

그람 '상' 자 '환' 자 항렬자는 워따 두고?

아니, 성명철학이라고 하믄 성씨부텀인 것을 어쩌라고 그라요. 나가 그런 걸 믿는다 그 말이 아니라.

그래서 모다 호들도 짓고 그런가? 좋은 글자들 다 갖다가 짓지 않소. 요샌 돈 있으면 철학원에 가서 기막힌 호들을 짓던데.

여럿이들 자신의 견해를 펴느라 부산이다.

그람, 돈이 먼저요, 호가 먼저요? 돈 있어야 호를 짓는 걸 보면, 꼭 호가 좋아갖고 돈 버는 것도 아니란 소린데.

아따, 누가 못 고칠 것을 개명하라 그라요. 우리 누님 한 분이, 여그 형수님이 잘 알제만, 개명하고 나서 180도 싹 달라졌응게 하는 말이제라. 완전 강남 싸모랑게요, 나도 얼굴 본 지는 오래요만.

호랑이도 제 말을 하면 온다. '강남 싸모' 황신자는, 아니 황신우는 갑작스런 어머니 장례식에서 오랜만에 동창생들을 만나게 되었다.

신자가 고향 뜬 지가 언제야, 거의 타지나 진배없어. 아무래도 좀 들여다봐야 쓰겄다. 그렇게 몇몇이 장례식장엘 갔다. 신자는 나랑은 초등 때부터 같은 학교엘 다녔으니 나도 덩달아 나섰다.

자동차부품공장이래, 직원이 300명씩이나 되고.

그렇구나. 부품만 만드는 데 300명?

그럼. 서울 쪽은 여기랑 규모가 다르겠지. 대한민국 돈은…….

돈보다 애들 교육이야, 정말 차원이 다르대나 봐. 영어유치원도 모자라 아예 유치원 과정을 미국서 몬테소린가 그런데 보내고, 계속 방학이면 미국 연수 보내니 영어가 완전 미국 사람이래.

어떻게 그래, 애들만 보낼 수도 없을 것이고.

몰라, 그런다더라고. 미국 주재원 그런 것 만들어서 아예 애들 어린 동안 미국서 산대요! 또 같이 예원을 다녀도 스트라빈스킨가 그것으로 연주하는 소리는 소리가 완전 다르다더라고. 입시 실기 에서 칸막이 뒤에서 연주를 한다 해도 악기 소리만으로 누가 누구 인지를 알 수밖에 없다네.

아무리.

신자 아들애도 빈 음악학교라나, 어려서 그런 델 갔대.

신자가 음악에 재능이 있었나 보네.

맞아, 우리 강당 청소당번 때면 피아노에 올라가서 우리가 배운 노래 그런 걸 띵똥거렸잖아. 배우지도 않았다면서도. 정작 피아노 한다는 애들은 악보 없이는 아무것도 못 했는데.

그랬구나.

대기실에서 함께 만나서 들어가기로 하고 기다리는 동안 친구 들은 주인공 황신자 이야기를 언젠가 들은 대로 또는 기억대로 재 탕하고 있었다. 정해진 특실로 향하자 그 나름대로 금의환향인 것 이 드러났다. 늘어선 화환을 보면 증명되는 것 같다.

고맙다, 애들아! 얼마만이야!

고맙긴, 고향인데. 고향에 왔는데.

울 엄마 혼자 오래 고생하셨지. 아버지 만나러는 안 가겠다 하 셨는데 모르겠다.

우리 쪽으로 와 앉은 신자, 아니 신우가, 아니 우리에게는 여전히 신자가 자연스럽게 어머니 아버지 이야기를 했다.

무슨 말?

아버지가 너무 젊어서 가셨잖니. 당신은 늙고 꼬부라져서 아버지가 못 알아보실 거라고, 만나면 소박이나 맞을 거라고, 아버지한텐 절대로 안 가신댔어.

어쩜.

다른 형제들은?

나 남매뿐이었잖니. 동생 그렇게 떠나고 엄마가 정신 줄 놓다시피 했잖니. 밖으로만 나가시니까 병원에 잡아둘밖에, 딴 수가 없었지 뭐니. 기어코 고향은 안 떠나신다 그러고.

어머니가 멀리 계셨어도, 네가, 딸이 살렸다고 칭찬이 자자하더라.

너 어머니한테 자주 자주 왔었다고. 우리 시댁 일가 중에 너희네 친척 있잖아, 벌써 다녀갔겠네, 그 사람도 그러더라. 그렇게 고향 오기가 어디 쉬워?

멀리 계셨어도…… 그래, 자주 내려왔지. 서울서 여기 그렇게 다니는 것 병원서들 놀라더라만.

그렇게나 자주 왔더랬어? 병원에서 놀랄 정도로?

응, 자주 왔어. 차가 좋은 거지 뭐. 그게 그러니까…….

그러니까 서울서 당일로 엄마 보러 다녔다고? 너 운전 되게 잘하나 보다!

아니, 기사가 있어. 기사가 운전 잘 해.

아아.

그렇게 우리가 놀라는 사이 신자는 눈을 굴려 좌우를 살핀다. 누가 들기라도 할까 봐 조심스러워하는 눈빛이 기이했다.

애들 아빠 몰랐어. 맨날 늦으니까 내가 멋대로 그러고 다녔어.

우와, 기사가 쏜살같이 운전해 주는구나.

조용해. 차도 기사도 남편은 몰라.

뭐라고?

갑자기 내 귀가 정지한다. 나는 먼 데 다른 소리를 듣는다. 신자의 남편이다.

집에 없다고? 너무하네, 당신. 모처럼 일찍 들어갈 맘먹었더니.

아, 그게, 미안해요. 아직 한 시간은 더 걸리겠어요. 차들 억수로 막히네.

무슨 차가! 어딘데!

아, 오늘은 명일동 끝나고 여기 동문들 여럿이 이천 공방에 들르느라고요. 함께 움직여야 해서죠.

강남엔 뭣이 없는 거요? 강남여자 만들어 놓으니까 딴 데로 새고는! 알았어, 나 다시 나가!

잠시 뒤에 목소리 톤이 바뀐다.

남편 다시 나간다네. 천천히 서둘러, 정식 씨!

정식 씨? 내가 미쳤나 보다. 초등학교 동기들 중에 정식 그 이름을 어디서 들었더라? 최근인데……. 그러지 않고서야 내가 귓속에서 지어낼 리는 없다. 언젠가, 이번이 아닌 언젠가라도 그 이름을 들었던 것임에 틀림없다. 그렇구나. 돈이 많다는 것은 여러 가지 자유를 주는구나. 아침에 남편이 출근한 다음에 동창생 기사를 대령하고 고향 어머니를 '맘대로 자주' 방문하는 효도를 할 수 있구나.

남편이 차를 모른다고?

모른다니까.

어떻게 그래?

그냥 편하게 기사 이름으로 샀어, 그쪽 아파트 차고지로. 거기 입주도 시켜 줬고. 나는 그냥 아무 때나 차만 쓰면 되니까.

기사한테 차도 집도 사 줬다고?

사 준 것까진 아니지. 명의만.

너 솔찬히 재력가로구나.

솔찬히? 후훗. 재력가는 무슨. 남편은 좀 있지.

남편 사업이 다스 같은 자동차 납품이라며?

다스?

왜, 현대자동차 납품으로 시작한 다스, 그 유명한 다스 말이야. 자동차시트, 시트 프레임 그런 것 만드는 거야?

설마, 우린 몇천억 대 해외 자회사까지 가진 다스 같은 건 아니지. 알루미늄 횔인가 뭔가 그런 것만 만들걸. 몰라, 난 잘 몰라. 사업은 그이가 하니까 낸들 무슨 상관.

바로 엊그제 뉴스에 그런 공장에서 컨베이어 벨트에 끼어서 인명사고 났던데.

얜 무슨 소리야. 컨베이어 기계작업 하는 공장들이 어디 한둘이겠어.

사고 이야기를 꺼낸 애나 말리는 애나 아뿔싸 당황했지만, 신자는 냉랭했다.

괜찮아. 사고는 언제라도 나지. 난 하나도 신경 안 써.

그렇겠지. 그래야겠지.

그런 데 신경 쓰면 사업을 누가 하니?

…….

메뚜기도 무서워하던 꼬마 아이가 많이도 달라졌구나. 그게 꼭 정식이었는가는 확실치 않다. 3학년인가 그때쯤이었던 것 같다.

메뚜기는 뒷다리에 귀가 달려 있다고, 알어? 요놈 뒷다리를 몽땅 떼불면 완전 귀를 먹게 된다고!

믿거나 말거나 생물 지식을 번득이며 남자아이가 메뚜기 다리를 모조리 떼어 냈다. 아니, 떼어 내기 시작했다. 그때 신자가 울

었다. 첨엔 훌쩍훌쩍, 나중에는 큰 소리로 엉엉 울었다. 남자아이
는 메뚜기 다리를 떼려다 말고 신경질을 냈다.

왜 이래, 재수 없게!

다리가 없음, 잉잉, 귀만 못 듣는 게 아냐. 걷지도 뛰지도 못하
게 되잖어, 잉잉.

누가 다 뜯는데? 말만 해 봤고만, 계집애가 재수 없게. 자, 봐
라! 잘만 날아가잖냐, 씨이!

그렇듯 겁쟁이였던 신자가 지금은 공장에서 사람이 컨베이어
벨트에 끼어 팔이 잘리거나 죽거나 해도 신경도 안 쓴단다. 50년
세월은 유난히도 맘 여린 이발소집 딸을 사람이 사고를 당해 죽어
도 아무렇지도 않은 강심장으로 길러 냈다. 50년 자란 나무라면
물론 새싹 때와는 달리 튼튼함이 옳다. 신자도 튼튼해진 것이리
라. 튼튼한 사람, 그래도 이건 아닌데, 이건 아냐.

돈을 벌려고 출근했다가 집에 돌아가지 못하는 사람들이라니.
일터의 일꾼은 죽어 나가는데, 사업주는 눈썹 하나 까닥하지 않
는다. 개죽음이 그런 것이리라. 이 장례식장 이름표에 8자 9자로
적힌 노인들처럼 여러 가지 병을 앓다가 가는 것은 상팔자다. 지
난해 산업재해로 숨진 노동자가 796명이라는 뉴스가, 어떤 해는
854명이나 죽었다는 뉴스가 아직 귓속에 맴돌고 있다. 이런 것들
은 아예 한 귀로 나가거나, 흩어져 해마 속으로 저장되어 물러가
지도 않아서 괴롭다. 하루에 두세 명의 사람들이 일터에서 목숨을

잃는다니! 신자네 공장에서도 컨베이어 벨트가 돌아간다. 누군가의 상반신이 끌려 들어간다. 건너편 새로 짓는 건물에서는 사람과 함께 수십 층 비계가 우수수 무너져 내린다. 아, 아악! 나는 두 팔로 귀를 싸맸다.

남이야, 왜 그래?

남아, 나남이!

아, 나는 그게. 추락 사망률을 1/2로 줄이겠다는 게 말이 안 된다고!

무슨 말이야?

사망률이라면 0을 목표로 해야 한다고!

이 애가! 너 또 뉴스 생각으로 빠졌구나. 건설노동현장 어쩌고 하는 뉴스?

아니, 나는.

너는 뭐?

일자리는 좋지만 일터에서 떨어져 죽는 건…….

사고까지를 어찌 처음부터 알아? 인명은 재천이야!

그래 남아, 잊어 버려. 사고 이야기는 좀 그렇다 지금.

그래, 많은 일들이 자동화 되고 있으니까 사고 위험은 줄게 돼 있어. 안심해라. 티비에서 컨베이어 벨트 따라 조립되고 있는 자동차 공장들 봤지? 차의 뼈대 같은 것이 지나가면, 용접은 로봇이 하고, 사람들은 부품 같은 것들 조립만 하고. 컨베이어 벨트 옆에

는 이름 모를 부품들이 쌓여 있고, 통로에서 운반을 담당하는 것
도 무인 전동차야. 그럼 사고는 없어, 알아?

그럼 또.

또 뭐?

그렇게 2만 개 부품으로 조립된다는 자동차가 1분 만에 조립되
면, 사람들은 어디에서 일해? 운전도 자동운전으로 다 바뀌면?

그만하자, 남아. 오늘은, 여기선 그만.

가만히 입을 다문다. 내가 또 엉뚱한 이야기로 흘러갔나 보다.

어라? 아직은 사람이 차를 운전해서 다행이네. 정식이는 동창
생의 기사로 생활을 해 나간다. 신자가 운전을 못 하는 것도 다행
인 셈이구나. 신자처럼 돈이 아주 많은 사모님이 운전까지 잘 했
더라면 기사를 쓸 일이 없지 않겠나. 누군가의 부족함이 누군가에
게 득이 되네. 전적으로 나쁜 일도 없고 전적으로 좋은 일도 없구
나. 나는 또 속내를 들킬 새라 입을 꼭 다물고 조용히 생각만 한
다. 눈도 반쯤 감는다.

근데 네 차를 남편이 정말로 몰라?

그렇다니까. 나중에 말해야지 했다가 그냥 그렇게가 편하더라
고.

뭐야, 알아듣기 힘드네.

힘들고 말고 할 것 있냐. 서울 사정 깊이 알려고 말자, 다쳐요!
후훗.

하긴 어디에 있거나! 차면 차지. 넌 그래서 줄곧 아기자기 살림만 하며 엄마한테 왔다 갔다 그러고 살았어?

얘가 살림만 하겠냐! 그랬음 따로 아파트에 차에…….

살림만, 글쎄. 나도 뭣 좀 하지, 하고 있어. 젊어서 고생함서 돈 모은 보람이 있는 셈이야. 하긴 요즘엔 공실이 많아져서 좀 성가시네.

공실?

아무도 공실을 몰랐다.

얘들이! 공실률도 몰라? 이 정부 들어서 얼마나 심각해졌는데!

뭔데 그래? 찬찬히 설명이나 좀…….

빌딩이고 오피스텔이고 너무 공실이 많다고. 세입자들이 입주를 안 해서 텅 비어 있다니까. 봐라, 실평수 120평 상가를, 글쎄 월세 2,500하던 걸 2,200까지 깎아 줘도 찾는 사람이 없다니까. 장사하러 들어오는 사람이 아예 없어요. 돈 쓰는 사람은 줄고, 종업원 줄 최저임금은 팍팍 올라대니, 누가 장사하려고 하냔 말야. 그러니 공실률만 늘밖에.

긍게, 건물 임대사업이 시원찮다는 말인 거냐? 월세가 2,000이 넘으면…….

아니 뭐, 자잘한 것들도 마찬가지야. 대학가 원룸은 월세라야 50 정도, 보증금 1,000에. 그래도 대학가가 좀 나은 편이지.

긍게, 상가며 원룸이며 건물주란 말이네, 하늘에 계신 조물주님보다 높다는 이 땅의 건물주님.

신소리는!

흰소리!

희고 시고 그게 그거지.

월세가 50이라니. 원룸에 살기도 어려운 세상에 젊은이들이 내팽개쳐 있구나. 주말에 7시간 알바를 이틀을 다 한다고 해도, 최저임금을 다 받는다 해도, 주당 14시간×8350원, 가만…… 대강 10만 원? 그걸 다 합쳐도 겨우 월세네. 게다가 또 밥은? 밥값은?

밥 좀 먹어라, 친구들아. 역시 고향이 최고야, 반찬 괜찮게 나온다야.

내가 '밥' 소리를 입 밖으로 흘렸나? 밥 이야기를 하면서야 비로소 신자가 고향 악센트로 말한다.

그래, 그러자. 시간이 좀 어중간하다만.

좀 일찍 먹음 어떠냐! 먹어들! 이나저나 한 끼 때우면 쉽제. 난 평생 아침 한 끼 차려 내고 나면 이리저리 때우고 산다.

강남 싸모님이 끼니를 대충 때우다니! 말이 되는 소리를 하셔 좀!

느그 남편 아침만 집에서 먹냐?

친구들도 더 편하게 말들이 오간다.

으응. 그래서 아침 한 끼는 최고로 차려 내지. 어디 가서나 집

밥 생각나라고!

아, 신랑을 밥으로 잡는구나!

잡다니, 하늘 같은 서방님을 잡아사 쓴가!

하늘?

하늘이지 그럼. 아무리 힘들어도 생활비 꼬박꼬박 대 줬지. 뿌루퉁해 있으면 위로금이라고 내밀지.

뿌루퉁? 네 속 썩였냐, 한눈팔고?

무슨 소리. 사업이라는 게, 그래 만만한 사업은 없지 않냐. 더구나 요즘엔 파업이 좀 많으냐. 완성차 공장이 파업하면 거긴 감기나 들겠지만, 차량용 공구며 볼트나 너트 그런 것들 생산하는 우리들 공업사들은 완전 폐렴이지. 내가 초장에 목돈을 좀 모은 게, 그래, 내가 생각해도 기특해. 나중에는 내 손이 복손이더라. 서울살이가 다 그래. 어찌어찌 잘 굴러갔어. 우린 암것도 아녀. 사는 것들 보면 나도 눈이 휘둥그레진다니까.

이발소집의 여리여리했던 딸 신자가 잘도 자랐다. 씩씩해진 신자는 똑똑해지고 부지런해져서 왔다. 똑부! 똑똑하고 부지런한 사람이 확실히 있구나. 순간 잠깐이지만 화려함이 어른거린다. 상복을 입은 친구를 화려하다고 하면 살짝 모독이 될까. 아니, 화려했다.

어디에 살아? 그렇게는 차마 물어보지 않는다. 강남인 줄 아는 것만으로 기들이 죽어 있다. 좀 괜찮은 데는 매매가가 40억은 족히 넘는다는 곳이 그곳이다. 근년에 100억을 넘긴 아파트도 있다는 뉴스가 있었다. 105억? 전용면적 겨우 40평 정도가! 겨우? 면적이나 넓으면 차라리 넓으니까 그렇다고 치지. 사촌이 논을 사도 배가 아프다는데, 배는커녕 모든 사지 육신이 무감각했다. 아예 감이 오지 않아서다. 작년엔가 최저가 아파트 소식 그것도 놀라웠다. 전남 고흥군 도화면 어디 원룸아파트는 단 500만 원에 거래되었더란다. 그런 곳에서라면 2,000세대가 거주하는 돈으로 강남 최우량 아파트 한 채를 산단다. 일당백은 아무것도 아닌 숫자다. 2,000명의 목숨 값과 평행저울이 맞는 무거운 사람들은 강남에 산다. 우리 친구 신자도 강남에 산다. 그러므로 신자는 엄청 무겁다. 몸무게는?

너 살이 좀 찐 거냐?

그렇지 그럼. 우리 인격이 있는데, 좀 쪘지. 피티쌤 말로는 다행히 근육살이래.

누구? 근육살?

피티, 개인강사 말이지. 내장 지방이 아니고 근육살이라니 기분은 좋더라.

운동 강사가 몸매 말을 다 하냐?

강사니까 몸매 말을 하지. 몸매 관리해 주는 게 지네들 일인데. 근육 양 늘리고 체지방 줄이고, 그거 하는 거지. 스무 번 끊어놓고 가다가 쉬다가 그래. 그래도 느낌이 좋긴 해.

우린 그냥 넉넉한 품새로 살기로, 엘리자베스 여왕이 어디 날 씬해서 오래 사냐.

왜 거기까지 가!

인생에 주제가 있냐, 그저 발길 닿는 대로 가고, 부딪치면 돌아오면 그만……. 야, 남이야, 졸고 있는 거야?

아니, 뭐. 어째 좀 졸리네.

졸리는 게 아니라 피곤한 거야! 광고도 안 보냐! 뭐더라?

그 봐! 광고 어쩌고 하면서 무슨 광고인지는 생각도 안 나지?

안 나야 맞지. 광고 홍수 속에서 상품 이름이 귀에 들어오냐!

맞아, 뉴스라도 웬만한 뉴스는 귀에 들어오지도 않지.

뉴스 말이니 말인데, 우리 돈 한 500억을 순간에 기부하고 그러는 사람 부럽더라, 이름도 외우려 했는데, 무슨 스미스! 미국이지 당근. 졸업식 축사하러 왔다가 학자금 대출액 전액을 갚아 준댔다나. 400명쯤 되는 졸업생들이 좋아 날뛰는 사진이 나오더라.

학교가 좋아서 그래, 학교가.

학교가?

거기 마르틴 루터 킹이 졸업했으니.

흑인들 대학이구만. 그 부자도 흑인이겠고. 암튼 좋겠네.

그런 좋은 뉴스들도 많겠지.

우리나라 좋은 뉴스 들은 지는 오랜데?

왜! 연평도 등대 켜는 뉴스 같은 것.

여럿이 자동차 들어 올려 어린애 꺼내고.

남이야, 남아! 애 좀 봐, 앉아서 졸고 있네.

앉아서 놀고 있네. 내 귀에는 그렇게 들렸다. 가물가물 그렇게 들렸다. 나는 계속 졸고 있었다. 요샌 낮밤 없이 졸렸다. 그래, 여기가 어딘가. 장례식장이지. 친구 어머니를 위한 장례식장이다.

어머니는 어쩌시다가…….

뭐, 기나긴 외로움이지. 그래도 씩씩하신 편이셨어. 절대 서울로 안 합치셨다니까. 사위 자식 개자식, 그러시면서. 아니 우리 그이가 그렇다는 것이 아니라, 사위하곤 한집 살이 하는 것 아니라고. 아들 밥은 앉아 묵고 딸 밥은 서서 묵는다, 하시며. 틈만 나면 밖으로 나가려고 하는 것 말고는 요양병원에선 그런대로 잘 지내신 편이래. 크게 아픈 데 없었고, 외려 아픈 사람들 위로해 주고.

그런데 왜 갑자기?

응, 흡인성 폐렴이니 갑작스러운 것 맞고. 국물이 기도로. 급성 폐렴이 순간 패혈증으로……. 평상시엔 뭣보다 스스로 폭을 잘 대셨지. 더 못한 데다 대고 사는 거여, 늘 그러셨지.

더 못한 데다?

으응. 세상에는 상상도 못 할 인생도 있단다, 한번은 그러시더라고. 우리 집이 도시로 나오기 전 일이라면 어머니도 젊었을 때지. 경운기 사고로 운전수는 살았는데 동네 아줌마들 둘이 한꺼번에 갔었나 봐. 그런데 한 집에서 망인의 이름자를 두고 소동이 났었더래. 평생 방촌댁이라 불리면서 그렇게 알고 살았었는데, 초상이 났으니 고인 명패는 성씨는 써 붙이잖어. 주민등록을 한 지도 얼마 안 되고, 송씨니까 송씨라고 썼는데.

송씨가 어때서?

송씨가 어떻다는 것이 아니라, 송씨가 아니었다 그 말이지. 별 내왕 없던 친정 쪽에서 초상마당에 사람들이 왔는데 글쎄, 그때사 본래 성이 드러난 거래, 송씨가 아니고.

무슨 말이 그래?

그니까. 여자는 애시당초 그 집 일손이었대. 밥술은 먹는 집이라 부엌일 거들고 애 보는 크내기를 들였더래. 그러다가 부인이, 송씨가, 둘째를 낳고 산후 조리를 못 해서 덜컥 죽어 불고, 글쎄 그 크내기를 눌러 앉혀 애들을 키우라 그랬대나. 그러다 제 자식들도 낳고, 그리 살아 버린 거였다네. 나중에는 민증까지 그대로 송씨로. 남의 이름으로 남의 나이로, 남으로 산 평생이라니. 오래라도 살 것이지…… 쯧쯧 하시는 게, 울 엄마 맘속에 박힌 일이었나 봐.

뭐야 그럼, 제 이름으로 살아가는 것 그것도 행복인 셈이네.

옛날 옛날엔 정말 호적 정리가 주먹구구였나 봐. 특히 여자애 낳으면 그냥저냥. 실은 울 어머니도 호적에는 언니 이름이셨대. 물론 언니 나이로, 그러니까 언니로. 그래서 저렇게 87세로 되어 있지. 세 살이나 더 올라가 있으시지.

......

첫 딸애는 호적이랑 올렸는데, 옛날엔 어려서 죽는 애들 많았잖냐. 그 다음 울 엄마 태어났을 때는 그냥 두고 지나간 거래. 또 죽을 수도 있고. 호적에는 여자아이가 한 명 있고. 그냥 그렇게.

이름을 아무렇게나, 그건 정말 폭력이었네.

이름 좀 다르다고 사람이 다치기를 하냐 어디가 아프냐.

부러 아무렇게나 부르기도 했지. 저승사자 눈에 띄지 말고 오래 살라고 '바우'야 그렇게 부러 허름하게도 불렀대.

그래도 그렇지, 정체성인데.

정체성, 그 소리 오랜만에 듣네. 이름 달리 짓는다고 사람이 달라지는 건 아니지 물론.

성을 바꾸는 게 심각하지 이름이야 뭐.

왜 우리 고1 땐가, 박선희 아니 김선희 말야, 그 애가 가을에 사고 칠 뻔했다잖아!

사고? 무슨 사고?

독일어 시간이었다. 한두 단락씩 책을 들고 서서 큰 소리로 읽는 중이었다. 제목은 물망초였다. 꽃 이름들을 지어 준 하느님이 사흘 후 세상을 시찰(?)나왔다. 모든 꽃들이 제 이름에 기뻐하고 있을 것이라 만족스러운 표정으로. 예상 밖으로 하느님은 물가에서 울고 있는 작은 꽃을 만났다. 넌 이름이 뭐냐? 흐흑, 흐흐

윽. 왜 울고 있느냐? 저는 그만 제 이름을 잊어버렸답니다. 그렇
담 이제부턴 네 이름을 '날 잊지 마세요!'라고 하려무나. 그런 줄
거리였다. 하필 '저는 그만 제 이름을 잊어버렸답니다.' 부분을
그 아이 선희가 읽어야 했다. 선희는 읽지 못 하고 울음을 터뜨렸
다. 선생님은 단어가 어려워서 못 읽는 줄 알고 앞서 읽었다. 나
는 잊어버렸어요, 잇히 페어가스, 읽어 봐! 이히 페어가스. 내 이
름을, 마이넨 나멘. '나'에 악센트……. 선생님은 친절했다. 친절
도 병이다. 친절하다가 놀라셨다. 선희가 큰 소리로 울어 버려서
정말 놀라셨을 거다. 우리 모두는 고개를 숙였다. 김선희가 되면
서 원래의 성을 잃었는데, '잊다'와 '잃다'의 혼동은 보통이었다.
나는 물망초 긴 이름을 독일어로 절대 잊어버리지 않는다. 잊어
버리지 못한다. 페어기스마인니히트. 나는 물망초를 보고 싶지
않다. 이름을 잃고 어리둥절해 하던 그 아이 선희를 떠올리고 싶
지 않다.

　그 애는 결국 전학을 갔다. 죽으려 했었다는 둥, 소문만 무성
했었다. 그 애를 받아 준 새아버지는 좋은 사람이었겠다. 그 애를
데리고 재혼한 어머니는? 모르겠다. 그 애와 잘 살 수 있는 길이
라고 판단했겠지. 그때만 해도 여자의 재혼은 아주 생소한 단어였
다. 또 아버지와 다른 성씨를 가진 아이가 한 집에서 살 수도 없
었다.

　앞섰다는 서양도 마찬가지였다. 절절한 영화가 있었다. 제목
은 잊었다. 한참 옛날, 처녀가 임신을 하고 버림을 받았다. 빈한

한 처녀 집에서는 온 재산을 털어서 애아버지를 구했다. 지참금 때문에 결혼하는 남자도 있다. 처녀는 마음에 없는 남자와 결혼을 한다. 태어날 아기를 위해서다. 아버지가 없는 아이를, 혼외자를 낳는다는 것은 수치 중의 수치였다. 아이가 어머니의 성을 쓰는 일은 없었다. 평생의 수치라서. 시커먼 흑백화면이었다.

성을 바꾼다는 일, 엄청난 일이긴 해.

지금은 세상 많이 바뀌었지, 성도 마음대로 바꾸고. 왜 이혼하고 엄마 성을…….

뭣보다 스스로 미혼모를 선언하기도 하잖냐.

미세스 어쩌고 하는 서양이 여자들 이름 빼앗는 일에서는 으뜸이야. 여성의 권리를 그렇게나 투쟁해서 얻어 냈다면서 왜 결혼하면 성을 남편 성으로 바꾸는 관습을 못 버렸을까.

그러네.

법이 그러니까.

법이고 관습이고, 결혼도 여러 번 하는 문화에서 결혼 때마다 성을 바꾸면 얼마나 성가실까.

그래, 그게 정말 성가실 때도 있어. 미선이 정확한 정보를 제공한다. 어느 학자가 수잔 에이로 태어났다고 치자. 결혼하여 수잔 비가 되었다가 혹시 이혼하고 다시 결혼해서 수잔 씨 또는 수잔 디가 된다면 얼마나 수선스러운지 아냐. 성씨로만 찾으니까 그런 학자의 이론이 딱 끊겨 버리는 거야.

어라?

물론 요즘엔 의식 있는 여자들이 많아서 이름을 안 바꾸고 쓰기도 하지.

그것 참. 대한민국 만세!

거기서 왜 대한민국이 나오냐! 원래 조선 때도 그랬는걸. 시집을 가서 친정을 잊고 살아도 성은 달고 살았잖아. 아무개의 딸로서, 적어도 성씨는 죽을 때까지 가져가지. 죽어서도 신위에 그렇게 오르잖아.

죽는 이야기는!

장례식장에서 죽는 이야기 아님 어디 가서 죽는 이야기를 하냐!

딴은.

암튼 엄마는 몸이 쇠해져서도 합치자는 우리말에 안 넘어가셨어. 말 재주가 그리 좋으신 줄 누가 알았겠냐!

네가 어머니 닮았는갑다.

내가 말재주가 있가니?

말재주 말고도 재주가 많지 그럼, 너 동창생 기사 쓰는 것 보통 재주로 한다냐?

그런가?

깔깔.

나는 깔깔거릴 수 없었다. 누군가의 운전기사를 하면서 것도 비밀리에 하다니, 이름 없이 그림자로 존재하는 것이 쉬운 일일까. 이름 없는 대가로 그는 생활비를 번다. 동창생을 밀착 수행한다고. 그의 아내가 알면 설마 이혼 사유에 해당하려나. 여직원과 카풀하면서 아내에게 숨겼다는 이유도 이혼 사유가 되는지 아닌지, 할 일 없는 방송에서 이슈가 된 걸 본 적이 있는데…….

이름 말이야, 그니까 신자야! 이름 바꿀 생각을 왜 했어?
정인이가 드디어 다들 묻고 싶어 하는 것을 물었다. 너무 갑자기 물어서 신자도 미처 대답을 준비하지 못했는지 머뭇거린다.
으응, 좀 아프고…….
아팠을 때 개명? 그런데 이렇게 씩씩해졌다고?
아니 뭐. 뭔가 내려앉을 때였어. 옛날 일이야.
신우, 황신우, 멋지기는 하다야. 우리한텐 좀 생소하지만.
누가 이름을 그리 자주 부르나.
그렇겠다. 언제부턴가 사모님이 모든 여자들의 이름이지. 아님 여사님이고. 미선 쌤! 박미선은 좋겠다야, 선생니임!
저 그런데 이제 시간이……. 그런데 사위님은…….
그러게. 이이가 밤늦어서야 도착한다네. 친구들이랑 인사라도 나눴어야 하는데.
무슨. 우린 일어서야겠다. 신자 너도 이쪽에만 넘 오래 붙어 있음 안 되지.

신자야, 그럼 어머니 장례 잘 모시고!

그래, 고맙다야! 니들 통 찾아보지도 않았는데 와 줘서 더 미안하고오!

미안하긴! 서울 살다 봄 다 그렇지 뭐.

잘 가!

잘 지내고!

또 보자.

　헤어지는 인사는 아무래도 길어진다. 우리는 황신자하고 그렇게 헤어졌다. 새 이름을 묻고도, 왜 이름을 바꿨는지를 다 묻고도 여전히 신자라고 부르며 헤어졌다. 황신우는 신자가 가진 몇 개의 건물과 또 은행 잔액, 그러니까 동산과 부동산의 주인 이름으로, 주민등록증의 이름으로 존재하는가 보다. 그중 집 한 채와 외제차 한 대는 정정식의 이름으로 있다. 이름과 실체 또는 실제는 서로 무관한 것일까.

　나남이, 너는? 젖은 머리카락을 닦으면서 거울을 들여다본다.

　네 이름이 얼마나 미미한가 그것은 중요하지 않단다. 물망초들이 물망초인 것과는 다르게, 사람들이 사람인 것과는 다르게, 너는 나남이, 나남이라는 이름의 사람이다. 태어나서 죽을 때까지 한 이름으로 끝까지. 결혼과 이혼을 반복해도 원래대로 쭉. 그런 의미에서 한 번만 결혼하는 것은 뭔가 조금 손해 보는 일인가? 후훗.

나남이는 하나의 작은 점. 그러면 다른 사람들 사이에서는 무엇일까. 인간들 사이에는 멀고 가깝고 일단 거리가 있을 것이다. 나의 좌표는 누구에게서 얼마큼 또 다른 누구에게서 얼마큼일까. 그가 내게서 만일 10미터이면 나도 그에게서 10미터일까. 인간관계란 어떻게 측정할까. 개인이 주어진 사회적 상황에서 적응해야 하는 것이 중요한 삶의 과제인 것은 맞다. 쉽지 않은 숙제, 적응이라는 이름의 숙제.

남이 씨는 순응과 동화, 어느 것이 더 힘들까. 당신은 과도하게 주관적으로 불편한 사람이야.

그가 말로 하지 않아도 나는 그의 말을 듣는다. 멍하니 나를 보고 있을 때다.

왜 사람들과의 관계에 서툴까. 회피형이 분명해. 관계에 대한 욕구가 없어. 어떻게 그럴까. 일이나 성공에 몰두해서 사람들을 외면하는 것도 아니니 알 수가 없어. 그저 욕구가 없는 거야. 욕구가 없어. 언제부터일까. 그렇게 태어났을까. 미숙형이면 내가 좀 이끌고 부추기면 될 텐데. 탐닉형으로 관계에 실망해서라면 그것도 내가 좀 조절하면 될 텐데. 회피형, 본질적으로, 체질적으로 사람을 피하는 사람을 어쩐다?

그는 세부 전공은 아니지만 의학적 정신의학적 심리학적 지식을 총동원해서 나를 걱정한다. 특히 더 골몰하는 그런 저녁이 있다.

인간관계는 시간 낭비라고 생각해서 회피하는 것도 아냐. 불안해서 관계를 피하는 걸까. 스스로 무가치하게 여기고 다른 사람을 불편하게 한다는 망상으로? 설마, 그 정도까지야. 그런데 왜? 그런데 왜 욕구라는 것이 없을까.

나를 가만히 쳐다보고 있는 그의 눈이 그렇게 말한다. 그런 저녁이면 나는 그의 염려를 덜기 위해 친구들하고 약속을 떠벌리고 그런다.

아, 낼 우리 친구들 아마 점심 좀 멀리 가서 먹을 거예요. 정인이 친구가……

어, 정인 씨 친구가 따로 있어요?

응, 건너 건너 친구. 암튼 지금은 시골에 사는데, 하얀 찔레꽃 보러 오란다네요. 담장처럼 둘러싼 찔레꽃 향기가 짙은 화장 냄새라고, 품위가 없을 지경이라고.

그는 쉽게 걸려든다.

그래? 좋겠네. 하얀꽃 찔레꽃~ 향기 듬뿍 묻혀 와요! 그늘에서 자라는 통통한 어린순을 사각사각 씹어 보기도 했었지, 옛날엔. 먹기도 했었다고.

설마.

그나 다행이구만. 친구들 몇이라도 어울리는 걸 보면 회피형은 아니구만. 피상형인가? 아니지, 그건 더더욱 아니지. 친한 척도 못 하는 사람, 그렇다고 즐겁자고 어울리는 건 절대 절대 아니니. 이름도 아리송한 나남이, 너는 대체 뭐냐. 애도 어른도 아닌, 순수한 모순, 모순? 저렇게 말하다가도 졸고…….

그의 눈이 더욱 커진다. 들리지 않는, 한없이 학구적인 그의 말을 들으며 나는 그만 배시시 웃고 만다.

모순

　모순, 당신 참, 순수한 모순일까, 라고 말하는 그의 눈을 피할 수밖에 없었다. 그날도 비릿한 미소로 얼버무렸다. 말을 하자면 길어질 테니까. 말이 아닌 눈빛에 말로 대답을 할 수도 없으니까. 우선 모순에 쓴 순수하다는 덧말은 오류이니까. 내가 알기로는, 예컨대 순수한 물이라고 할 때 쓰는 것이 순수함이다. 그러니까 순수한 모순이라고 했을 때 순수는 모순을 설명하는 말이 아니라, 나더러, 아내더러, 순수한 것 같다가도 모순적인 사람이란 뜻으로, 둘 다로, 어쩌면 비난으로 들어야 한다. 아니, 말로 하지는 않았으므로 그리 읽어야 하리라.

　그런 생각들도 일상을 크게 방해하지는 않는다. 모르는 것이 새삼스레 그것뿐일까. 저녁이 깊어지면 밤이 오고, 밤이 깊어지면 잠을 청한다. 잠을 청하다 보면 잠이 들게 된다. 잠은 좋은 것.

　그렇게 또 날이 밝는다. 아침에는 아침을 먹고, 나갈 사람은 나가고 그냥 있을 사람은 그냥 있다. 바깥 하늘은 맑을까. 물론 흐릴 수도 있다. 밝거나 흐리거나 관심이 없으니 바깥을 내다보지 않아도 된다. 창밖을 내다보지 않고, 또 다른 작은 창들을, 텔레비전과 스마트폰을 켜지 않으면 세상이 조용하다. 오늘도 세상은 조용하다.

모순적이 아닌 인간 — 그런 존재가 가당키나 한가. 무모순적 명제 자체가 없다, 사는 일에서는.

말 한번 거창하게 하시네.

삶에서 크기를 말하는 것도 그래.

이게 크기 이야기야?

그러게, 크기가 아니지. 네가 그쪽으로 갔지, 거창하다니 뭐니…….

아무도 없다. 내가 말하고 오른쪽 귀로 듣고, 내가 말하고 왼쪽 귀로 듣는다. 어차피 한 입으로 말하니까 너는 너다.

이런 나를 가리켜 모순적이라는 말을 그이가 하고 싶었을까? 한 사람이 다른 두 생각을 하는 일이 이상하단 말인가? 한 사람이 평생 일관적일 수는 없지. 아니, 평생 그렇기는 어렵겠지만 한순간에 이리저리 흩어지는 것이 문제지. 그렇다고 내가 모순적인 사람은 아니다. 그렇게 생각한다. 나는 모순적인 사람이 아니다. — 이 말은 참인가? '무모순적인 사람임'이 증명되기 위해서는 '모순적인 사람임'이 부정되어야 한다. 어떻게? 수학이라면 귀류법이라도 들이대지.

귀류법? 그런 단어는 어떻게?

그거야 어렵고 모호한 단어들이 오래 남아서지.

매사에 서툰 자가 서투름을 인지 못 하고, 미친 자가 미쳤음을
인지 못 하고…….

그런가? 내가 모순적임을 모르므로 모순적이다, 그 말인가?
알면 모순적이지 않다는 말인가? 너는 네가 모순적임을 아는 거
야, 모르는 거야?

톡! 작은 창이 부른다. 정말 작은데 실은 한없이 넓은 창이다.

뭐지? 손바닥 창을 열까, 말까. 열면 바깥이고, 오늘 해를 볼
수도 있을 것이다. 그리되면 하고 있던 생각은 끊길 것이다. 무슨
생각이었더라? 이미 끊겼다. 문은 벌써 열렸다.

친구들, 잊지 않았음? 10시 반 역 2층 집합! 매표소 근처.

아차, 나는 시커먼 텔레비전 앞에 앉아 있고, 폰은 내 옆에 누
워 있다가 나를 불렀다. 고맙다, 톡아. 너 아니었다면 멍하니 그
렇게 오늘 나들이를 놓칠 뻔했겠지. 시계를 본다. 서둘러야겠네.

모순 어쩌고 하던 그날 밤 남편의 걱정을 덜려고 말했던 찔레
꽃집 나들이는 자꾸 미루어졌다. 찔레꽃이 다 진다고 어서 다녀
가라는 채근을 듣고서야 날이 잡혔다. 오늘이다. 나이가 들면 차

츰 삶의 무게가 가벼워질 거라 기대했지만 그건 아닌가 보다. 모두들 이런저런 일들에 발목을 잡힌다. 처음 약속했던 날엔 바람잡이 정인이가 딸애한테 가 있었다. 애는 아니다. 제가 아이를 낳는 자식들을 그 어미는 애라고 한다. 또 딸이라고…… 낳기 전까지는 투덜거리더니, 갓난이를 보고 와선 완전 날고뛰고 좋아했다. 다음엔 성주 남편이 컨디션이 나빠져 기다려 주기로 했다. 그러는 사이 내가 어머니한테 며칠 다녔다. 어머니들은 아무 때나 넘어진다. 화장실에서 살짝 미끄러진 것만으로도 팔목이 골절되셨다. 임시 깁스를 했고 며칠 뒤 제대로 깁스를 하자 불평이 수그러들었다. 고관절이 아니라서 천만다행이라고들 했다. 고관절이 왜? 듣고 보니 고관절 수술을 하면 자리 잡고 눕게 되고 그 길로 일어나지 못할 확률이 높다고 한다. 그렇구나. 누구에게나 알 수 없는 가벼운 사고며 병들이 빈발한다. 갑자기, 섬뜩하게 큰일도 날 수 있겠지.

얼마 전엔 또래 선배가 동맥류로 떠난 놀라운 일도 있었다. 병명도 생경했고, 며칠 전 거뜬하게 골프모임에 다녀왔다는 사람이 며칠 새 저 다른 나라에 가 있다니 그저 놀라웠다. 갑자기 미스터리 소설을 쓴다, 자연사일까? 남편이 잘 나갈수록 극과 극이다. 애처가라서 처와 처가가 호강하거나, 여차하면 사팔뜨기라서 속을 태우며 산다. 지구상의 능력남들은 더러 무서운 능력도 함께 갖추어서……. 도파민인지 뭔지가 분비되는 몇 년이 지나면 예뻤었던 아내를 치울 궁리를 한다는데, 눈빛을 잘 보고, 아니면 재빨리 괜찮은 조건에 도장을 찍어야 한단다. 너절하게 퇴출당하기 전에! 영화를 너무 보았나? 하지만 영화가 하늘에서 떨어진 이야기들로 만들어지는 것은 아니니까.

시계를 보니 더는 미적거릴 시간이 없다. 설거지 겨우 끝내 놓고 멍하니 앉아 있던 참이었다. 점심나들이에 따로 준비랄 것도 없지만, 기차 시간이란 엄중한 것이니까 대충 입고 가방을 챙긴다. 모기 기피제랑 계관은 필수지. 아차, 손수건과 칫솔……. 그러고서 나선다.

어? 친구들 모습이 보이지 않는다. 설마 오늘이 아닌 거야? 180°를 돌아다봐도 아무도 없다. 반대쪽으로 돌아도 없다. 늦지 않고 빠른 게 다행이다. 발은 커피숍으로 향한다. 급히 나오느라 커피를 담아 오는 걸 잊었더니 그 향에 끌렸나 보다.

톡! 매표소 올라가지 말고 그냥 아래 있어! 기사님 뜬다.

기차로 가자더니 예정이 바뀐 모양이다. 일회용 용기에 받아 왔다고 미선이 또 혼내겠지. 그래도 넉 잔을 조심히 들고 역 마당으로 내려오니 성주가 보였다.

짝꿍 괜찮아?

응, 그런 대로. 이제 출근하는데 뭐. 어머니는 어떠셔?

계속 아프다시지, 애기처럼. 마침 왼쪽 손목이라 그런대로.

다음에 나타난 건 차를 가져온 미선이었다. 5시 기차로 돌아옴 내가 넘 늦겠어서, 니들 좀 빨리 와도 괜찮지? 근데 정인이 가시

모순 219

나는. 차보단 먼저 와서 기다려 줘야……. 말을 하다 말고 미선인 다시 차에 올랐다. 깜박이만으로 정차할 수 없는 곳인가 보다. 순간 저쪽에서 정인이 보인다.

뛰어, 뛰어 와! 성주가 두 손을 높이 들어 불러도 정인은 느긋하게 걷는다. 정인을 기다렸다가 밀어 넣은 다음에 성주가 올라타자마자 차가 출발한다.

야, 너 차를 길에서 기다리게 할래!

꼭 해야 할 말을 꼭 해야 할 시간에 내뱉는다. 정작 운전수가 아니라 조수석의 성주다.

미안혀요, 떡이 안 오잖어유. 시골에 가면서 빈손으로 가남유. 언니도 떡 좋아하고. 정인은 아예 느실거린다.

무슨 언니? 친구라 안 그랬어?

나이가 좀 있어, 친구하기는 해도.

너스레를 떠는 정인의 보따리가 그러고 보니 두 개나 된다. 무거워서 못 뛰었구나.

찔레꽃 향기는 정말 대단했다. 골목길이자 큰길로 나가는 좁은 길 쪽으로 담장 전체가 찔레꽃으로 덮인 집인데, 일상의 집은 아니었다. 버려진 도자기 공방이라나. 꽤 넓은 잔디밭 어디에도 도자기의 흔적은 별로 없었다. 공방으로 썼다는 동굴 같은 초막에 들어서서야 주인장이 제작했거나 수집했을 소박한, 크기에서 소박한 그릇들이 엉성하게 진열되어 있었다. 진열이라고도 할 수 없으리만치 그냥 자연스럽게 널려 있었다고 하는 것이 맞는 표현일 터.

정인아, 막상 어려운 친구들이랑 오면 내가 좀 부끄러운데 어쩌나. 어쩌나요.

별말씀을. 우리 안 어려운 애들이에요. 정인이가 가끔 이야기할 때면 우리 모두 한번 와 보고 싶었던 곳이죠.

찔레 향이 정말 대단하군요.

어떻게 이렇게 가꾸세요?

한마디씩 감탄에 주인장은 겨우 대답할 틈을 찾는다.

가꾸다니요. 그냥 내버려 두죠. 잔디밭인지 풀밭인지 그냥 파란 대로 살라고 내버려 두네요. 염색물 떨어져도 편하라고.

어머, 염색도 하셔요?

도자기는 몇 년째 방학이지요. 염색도 어쩌다가, 그저 취미 정도죠.

그럼 농사를?

농사라뇨. 뭘 할 수 있겠어요. 시골서 태어난 것도 아닌데다가 뒤늦게 시골 내려와서 뭘 할 줄 아는 게 없죠. 여기 오이, 고추, 미니토마토, 이런 것 한두 개 따 먹는 것이 전부인걸요.

그래도 시골인데.

저 아래 논 조금, 중간에 누가 자꾸 사래서요. 저 아랫집 텃밭,

텃밭에 뭐가 있더라. 가지랑 뭐 좀 있죠. 언덕에 호박 몇 구덩이. 감나무, 매실나무들. 그냥 저절로 있는 것들이나.

한 십 년 넘은 것 아녀요? 언니, 처음 우리 발라드반들 여기 불렀을 때는 내 기억으로는 언니 의욕이 넘쳐 보였더랬는데. 정인이 보조 설명자로 나선다. 저 아랫집 살 때만 해도 조금 손질해서 북카페 그런 것도 가능하댔잖아요.

아, 내가 그런 게 아니라, 팔고 나가는 사람이 꼭 팔고 나가야 하니까 동네 사람들이 내게 희망적으로 권하는 말들이었죠. 어떻게든 타지 사람이 또 사들어 오는 것보담 이왕 발붙인 우리가…….

그럼 여기 이 마을이 배타적인가요?

아아뇨. 그렇진 않아요. 도공들 마을이었으니 자존감 내세울 처지도 아니고. 중간에 문화재다 뭐다 인정받기도 하고, 정통 뭐 그런 것에 대한 우대적인 분위기도 옛날보다야 낫다지만.

암튼 공기가 엄청 다르네요.

정말 살 것 같아.

이 엄살, 어디선 죽을 것 같았냐.

이상한 해방감에 우린 그냥 맘대로 소리 나는 대로 지껄였다.

논밥들 알아요? 우리 오늘 논밥 먹을 거예요.

주인의 말도 신기하기만 하다.

논밥요? 누가 논밥을 내오나요? 왠지 솔깃해서 내가 물었다.

내오다니, 배달이겠지, 배달의 민족! 미선인 늘 정확하고 빠르다.

맞아요. 여기 논일이고 밭일 하면서 식당에 핸폰으로 전화하면 점심 배달 다 된답니다. 놉 얻어서 일하더라도 밥은 절대 안 해 주요. 기대도 않고요!

놉? 놉이라뇨?

장소가 바뀌니 단어들이 생경하다.

놉이라는 말, 그게 어째 노비처럼 들리네요.

맞아. 놉이라는 말은 노비라는 말이 반절음화해서 생긴 것이지. 하지만 노비와는 다르지, 시대가 다르니까. 날품, 일꾼, 삯꾼, 품꾼, 품팔이, 여러 말들 모두 하루하루 품삯과 음식을 받고 일을 하는 건 마찬가지야. 요즘 시골에서는 일손이 귀하다 보니 놉이 오히려 갑일 수도 있을걸.

미선 씬 시골 일을 잘도 아네요. 그래서 놉이 아니라 주인네가 죽었나 싶네요. 놉 때문은 아니었지만.

누가 죽어요? 부러 죽었다고요? 정인이 울상이다. 언니, 지난번 말씀으로는 시골 살기가 괜찮다 하셨잖아요.

괜찮지, 전반적으로는.

전반적으로는?

기본적으로 지원금이 나오죠, 이 동네는 집들이 있어도 전원 다 해당되죠.

언니만 빼고요?

에이. 뭔 그런 소릴. 저쪽 마을회관이에요, 거기 가면 한더위에도 완전 시원하죠. 밤 열 시까지 에어컨 빵빵, 아예 썰렁하게 틀고 살죠. 오전엔 열한 시나 되면 반찬이 와요, 어디에서 오는 것인지. 그럼 진작에 와 있던 쌀로 밥을 짓는 거예요, 나라미라 해도 매일 새 밥을 지어 먹는 거예요.

나라미? 정부미 말인가요?

예, 나라미. 한글로 나라 다음에 한자로 쌀 미 자가 쓰여 있어요. 나라 쌀로 거저먹는데, 공짜에다 해 주는 밥을 먹으니 나름 호사죠. 그중 젤 젊은이가 밥을 짓는데, 물론 수당을 받고 하죠. 이리저리 꽤들 받아요. 누군가 가끔 파스다 뭐다 이런저런 약들도 가져다주고, 또 집으로 노인돌보미 나오죠. 어떤 집엔 목욕도우미도 와요. 이발비까지 나오니 살 만한 거죠. 어떤 자녀가 그런 효도를 하냐고요.

주인 언니는 우리보다 한참 위라고 들었는데, 말투가 전혀 노인 편이 아니다.

그렇다고 노인들 세상은 아니죠. 여전히 인간적 존엄성 유지가 안 되잖아요. 난 어쩐지 노인 편으로 말한다.

존엄성이 뭔데요. 월급처럼 수당을 주어 자식들 눈치 덜 보게 해 주는데요. 농지만 있으면 건보료 그런 것들도 다 감면 혜택을 주죠. 결과적으로 땅뙈기 가진 노인들이 더 혜택이라니까요.

농지가 있으면 외려 감면된다고요?

그래요. 믿거나 말거나 그렇다니까요. 집도 연금도 수준이 넘어서 상당한 건보료를 내야 한다, 그럴 때 농지를 소유해서 농사

짓는 농부로 등록되면 감면에 해당되는 거죠.

뭐가 뭔지.

아무튼 농지 소유자가 우대?

여러 가지예요. 장애인 처우도 대단해요. 저 위에 어려서부터 약간 다리를 저는 아줌마가 살아요. 얼핏 보면 모를 정도로 살짝. 한데 무슨 차량이, 복지관 차량이겠죠, 일단 데리러 와서 맨날 나들이죠. 한번은, 언니, 나 볼링 갔다 오네, 그러죠. 한번은 수영 다녀온대요. 세상에 승마도 다녀온다니, 그게 장애인이 할 만한 운동인가 말예요. 한번은, 언니 나 요것 좀 사 주쇼, 그러는 거예요. 무슨 복지 상품권인데, 다 사용하기가 많으니 나더러 현금화해 달라는 거죠. 모르긴 몰라도 좀 과한, 좀 치우친 지원인가 싶기도 하고.

수중 운동이다 특수체육이다 그런 걸 하게 돼서 기본적으로는 복지가 향상…….

미선이 끼어들다 말꼬리를 내린다.

아름다운 찔레꽃 마을에 오면 찔레꽃에 푹 빠져서 꽃가루 범벅이 된 호박벌 이야기라도 들을 심산이었다가, 무언가 평등 같은 불평등을 체감하는 이야기를 듣게 될 줄이야. 우리 모두는 조용했다.

일을 하지 않는 사람들은 이래저래 도움을 받고, 죽어라 일하는 한창 아저씨들이 죽어 나가는 거라서.

우리가 머쓱해 하자 잠시 말을 끊었던 주인네가 계속했다.

놀고먹는 사람들은 느는데, 일손은 모자란다고 하고. 일당도 그게 적은 건지 많은 건지 알다가도 몰라요.

무슨 말이세요?

일을 가는 입장에서야 말이 하루 8시간 8만 원이라 그러고들 가죠. 하지만 새벽부터 해 넘어 가야 일어서니 시간 초과는 기본. 그런 일도 날마다도 아니니까, 그러니까 일당이 많은 게 아니죠. 허나 일을 주는 입장에서는 사람 하나 쓰기가 무섭다고 그러더라고요. 하루 양파 작업 하면 산지 값으로는 양파 열 포대 스무 포대 값을 한 사람 노임으로 주는 것이니까, 열 사람 쓰면 100포대 200포대 값이 그 자리에서 나간대요. 올해도 양파 풍년이라 여기선 다들 죽을상이더라고요. 그런 노임 다 주고 출하를 해도 양파 값은 바닥이니까.

모순이네요, 모순. 풍년에 죽을상이라니. 양파 따는 사람 좋으면 양파 주인 망하고…….

무슨 모순씩이나! 게다가 누가 양파를 딴다냐, 캐지!

모처럼 끼다가 다시 핀잔 소리를 듣는다. 성주는 말 틀리는 꼴은 못 참는다.

다 알아듣고서 왜 그래, 정확한 단어가 입술에 걸려 머뭇거리기도 하지, 우리 나이에.

얘 또 나이 타령이네, 남아, 제발 조옴!

내 말은 보편성이 그리 없는지, 친구들 사이에서 좀 뒤떨어지는 느낌을 받게 된다. 대놓고 형광등 취급이다.

넌 그래 여태 그걸 몰랐어?

알았다니까. 지금 알면 어때서! 그래 나 형광등이다.

얘 좀 봐, 자신을 좀 아시네. 헌데 실은 고장 난 형광등이다.

그러기 십상이었다. 언제나 별일도 아니었다. 다만 다들 아는 이야기를 몰랐다는 것인데, 좀 억울했다. 예컨대, 미남 사회 선생님이 미녀 음악 선생님하고 그렇고 그렇게 비밀 연애 중이라거나, 좀 자라서는 우리 반에서 제일 얌전한 차옥순이 벌써 대학 다니던 중 살림을 차렸었다는 등, 그게 무슨 대단한 일이어서 내가 꼭 알아야 하는가 말이다. 어떤 이야기는 알려고 해도 알 수 없기도 했다. 아무개가 약(?)을 먹었고 죽진 않았고 그래서 입원 중인데, 온갖 이유들이 너풀거렸을 때다. 열아홉 나이에 어떻게 정답을 아는가 말이다. 나중에, 훨씬 나중에, 우리들 마흔아홉에 그 앤 정말로 떠났다. 비행소녀처럼 날라리처럼 옥상에서 아래로 순간에 죽었다. 누가 그 이유를 아는가. 모르면 형광등인가. 고장 난 형광등.

멀쩡한 양파밭을 갈아엎는데……. 주인이 얼른 화제를 챈다.

왜 멀쩡한 걸 엎어요, 좀 잘 못된 걸로 갈아엎는 것 아녜요?

그게, 아주 잘 된 상품이라야 보상금이 나와요. 안 좋은 건 갈아엎어도 소용없고요. 그러게 양파가 폭락이었으니, 이제 고추라도 잘 되어야 할 텐데.

고추가 왜요?

여기 사람들 양파 해내고 고추들 따는데요. 그게, 작년에도 양파 완전 망치고 나서 고추 농사나 기대했다가 것도 안 되니까 그 사단이 난 거예요.

사단이?

탄저병 알죠, 타 들어가는 병. 거기다가 컬러병이라나 노란 반점들이 생기고 그랬다네요. 양파에 고추에 둘 다를 망친 어떤 집에서 그만, 그만 세상을 떴죠.

어머나, 그렇게까지. 정인인 곧 죽는 소리다.

분통이 터지면 그럴 수도 있나 보죠. 의욕이 완전 바닥이 났을 수도 있고.

맞아요, 주인네가 계속한다. 그런데 사람 목숨 모기 목숨이에요. 탁 하고 때려잡은 모기 잊어 버리듯, 죽은 사람 금방 잊어요. 완전 잊죠. 바로 그러고 나서 벼농사 목돈 나왔으니까 덩실덩실이죠. 그때 태풍 차바던가, 암튼 벼들이 다 쓰러져 누워 버렸잖아요. 그럼 관에서 나와서 피해 정도를 조사해 가죠. 몇 퍼센트 어쩌고, 다 죽었다고 적어 가죠. 그런데 실은 다시 일어나는 벼들도 있어요. 꺾이지는 않고 살짝 눕는 경우죠. 그럼 수확이 외려 약간 느는데, 관에선 조사해 간 대로 보상금이 나와요. 그러니 복불복이죠.

그렇구나. 얘들아, 복중에서 최고의 복은 뭘까, 전화위복이래. 금세 기분이 좋아진 정인의 말에……

글렀네.

뭐가, 나남이, 뭐가 글렀냐고? 전화위복이라니까 글렀다니!

아차, 또 들켰다. 나는 여기 들판을 본 처음 순간에, 만일 다음 생이 가능하다면, 내 죽은 양분이 모여서 다시 사람으로 태어나는 일이 행여 가능하다면, 땅 넉넉한 곳의 농부로 태어나고 싶다고 생각했었다. 남자로 여자로? 그건 상관없겠다. 남자 여자 차이가 무슨 대수라고. 다만 지금 생에서보다 튼튼한 몸과 맘으로 태어나서, 투박하고 든든한 집을 지어, 지금처럼 단 둘이서가 아니라 아이들을 여럿 낳아 왕창왕창 떠들썩하게 함께 살며, 무심해 보이는 땅과 대화하면서, 뭔가 씨를 심어 두고 자라는 것을 바라보다가, 다 자란 놈들을 먹기도 하고 내어다 팔아서 다른 소용되는 물건들을 사기도 하고. 운전면허시험에도 합격하고, 튼튼한 차 하나 있음 가끔은 아이들이랑 어쩌면 읍내 문방구에도 서점에도 가고……. 그런 생각을 하다가 들킨 것이다.

아니, 나는.

너는 뭐? 시골 살 생각을 하려다가 글렀다 이 말이지? 성주는 뭐 넘어가 주는 법이 없다. 제 남편도 칼칼한 아내가 성가셔서 자주 아픈가.

남이가 어떻게 시골 살아. 얘는 벌레라면 질겁하는 걸 몰라. 파리 모기도 호들갑인데. 쟤 지금 가방 속에 모기약 잔뜩 있을 걸. 더구나 흙 속에 숨어 있다가 꿈틀거리며 나타나는 것들이라면. 얘가 어떻게 시골에서 사냐고! 정인은 모르는 것도 두둔해 주는 애다.

누가 시골 산댔냐. 나는 그저.

그저 뭐냐니까.

그저, 땅이란 것도 온난화다 자연재해로 힘들 거다, 뭐. 엉망으로 작물이 안 되고, 또는 트렌드에 밀려 외면당하고. 시골도 이상향은 아니구나, 그런 정도.

그래, 남이 그냥 내버려 두자. 시골에 살고픈데 살고 싶지 않다. 이 애 모순인 것 한두 번이냐.

누가 모……, 미선에게 대꾸하기도 전에 말은 끊긴다.

시끄럿! 그리고, 이상향이 어딨다고! 너흰 어디 이상향을 알아? 유토피아란 말의 뜻이 어디에도 없는 곳이니까, 이론상으로도 없는 거라고! 없으니까 이상향!

왜 그래, 미선아. 무섭게. 누구라도 가고 싶은 곳, 가서 살고 싶은 곳, 그런 건 있잖아. 성주도 놀랐는지 이번엔 구겨진 나를 돕는다.

그래, 그것까진 아니라 해도 가 보고 싶은 곳들은 있지. 왜 버킷리스트라고. 우리 나이쯤이면 그런 것 있잖아. 언니, 안 그래요? 슬쩍 주인을 쳐다보는 정인이는 말도 동글다.

그러게. 다들 어디로 떠나고 싶어 하는 건 아닐 거예요. 난 이곳이 이상향은 아니지만 이곳으로 만족하는 편이예요. 사람들 가끔 오고, 것도 나쁘지 않죠, 외톨이란 느낌을 없애 주니까. 시골

사람들, 이제 정 들고, 음식에도 따라가고. 건 그렇고, 밥 오기 전
에 ......

주인은 저쪽 부엌에 가더니 냄비를 들고 나왔다. 처음 내어 놓
았던 옥수수 쟁반에 이어서 두 번째 먹거리다.

바지락 먹어 볼래요?

바지락이요? 요즘 먹을 생각을 안 했는데요.

가까이 싱싱한 수산시장이 있어요, 버스터미널 근처요.

어머나, 알들 굵다.

국물 엄청 시원하네요.

돌아돌아 도시로 나간 놈들보다는 싱싱하겠죠. 그런데 누구
바지락 알러지는 없겠지요?

설마요.

은근히 음식 알러지들 많더라고요. 여기 가끔 오는 지인 중에
낙지 알러지 있는 사람 봤어요, 목포 살면서.

무안 사람 아니어서 다행이네요.

그게 아나필락시스라고, 알레르기 질환이지만 중증이죠. 원인
물질에 노출되면, 먹거나 뭐 그렇게, 벌에 쏘여서도 그렇지, 그럼
심각한 전신 증상이 나타나는 거예요. 은근히 땅콩 같은 식물에도
큰일 나는 사람들이 있어요. 심하면 혈압이 떨어지고, 호흡곤란,
숨이 막히죠.

봤어?

아니, 쓰여 있어.

얘 미선인 우리 도서관입니다, 언니. 정인이가 또 너스레다.

사람 무안하게시리. 미선인 웃고 만다.

아나필락시스 뭐? 음식물 알레르기 종류이겠지, 좀 심한. 복숭아 만지지도 못하는 애들 많았잖아. 우유 못 먹는 애들도.

다르지. 우유 알레르기라 해도 두드러기나 피부염 정도이지만 아나필락시스는 쇼크까지 오는 경우라니까. 다시 미선이다.

우유 참 희한해. 우유로만 크는 아이들이 대부분인데.

그래도 우유 못 먹는 사람들 은근 많다. 소화를 못 시켜 종일 더부룩하거나 배 아프고…….

그건 또 좀 다르지. 그건 유당불내증이라고 장내에 유당 분해 효소가 부족해서 그러는 것이고.

미선인 아는 것도 많다. 공부를 하는 사람은 어느 분야에서도 탁월해지는가 보다. 아마 공부가 재미있어서 이것저것 다 공부하는 것일 테다. 난 뭐가 재미있을까.

내 나이, 나이 탓하며 멈춰 있는 건 나이 탓하기 딱 좋은 나이라서일까. 58년생들은 아직 법적으로 노인은 아니다. 더하기 65를 하면 2023년이 되어야 노인이다. 노인에 대한 인상은 대부분 부정적이다. 아리스토텔레스라던가, 그런 옛날 옛날에도 그랬다. 노령자는 지나치게 비관적이고 불신이 강하고 악의적이며 의심이 많고 편협하다, 그랬다던가. 어느 시대 어느 나라이고 노인은 노인이다. 너는 거의 노인이다.

우린 거의 노인이야.

남아, 갑자기 노인은? 그리고 거의 노인이 뭔데?

그게, 우리가 거의 노인이 되어 있다는 말.

재미있네. 노인이면 노인이고, 아니면 아니지, 무슨 거의 노인?

그, 그게 말이야, 임신은 거의 임신 조금 임신 그런 말이 안 맞지만, 노인은 조금 노인 거의 노인 그런 말 되는 것 아냐?

그래서? 남이 너 거의 노인 하겠다고? 난 안 할래.

하련다고 하고 뭐 그런가…….

시끄러. 바지락 국물이나 좀 마시자.

바지락 국물 – 별로다. 싫다. 음식들 중 싫은 음식이 많다거나, 무엇에서도 재미를 느낄 수 없다는 말은 하지 못한다. 친구들은 차마 비정상이란 말은 하지 않지만 고개를 설레설레 흔들 것이다. 타고난 음식불감증, 재미불감증, 그런 것도 있을까.

아차, 불감증이란 단어는 금기어인 것을. 왜 불감증이란 단어가 금기일까. 단어 그 자체로는 감각이 둔하거나 익숙해져서 별다른 느낌을 갖지 못하는 일에 불과한데. 예컨대 도덕적 해이 비슷한 말로, 도덕적 불감증이 문제다, 뭐 그런 데에도 사용한다. 그러니까 재미불감증이란 말을 좀 쓰면 어때서. 말하자!

미선아, 우유 소화 못 하거나, 재미 소화 못 하거나 뭐가 달라? 난 재미를 소화하지 못한다, 그 정도. 재미소화불량이라 그럴까 보다.

나남이 히트다, 오늘. 유당불내증은 아니고 재미불내증이시다고?

재미있는 말이네. 재미있는 것을 몰라?

이 정도가 무슨 재민데. 재미없어, 하나도. 재미불감증이라지 뭐. 내가 고집했다.

그렇구나, 나남이. 나남이는 오늘 재미가 없으시단다.

아니, 그런 단어들 재미없다고!

그래도 오늘 여기 나들이가 재미없지는 않다고! 그렇게 정리하자고! 정인이는 무엇이든 둥글게 끝내려 한다.

미안해도.

이 얘 말꼬리 좀 봐, 기어코 재밌다 그러지는 않으시네.

친구들 참 재밌다. 참 재미있게들 사네요. 자주 와요, 여기. 난 오랜만에 이렇게 편하게 떠들고 하는 것 보면서 신나는데요. 주인 언니가 거든다.

우리, 좋아 보이죠?

그럼, 그러믄요.

좋아 보이는 얼굴들을 하고서 하루가 간다. 툭 터진 정자에서 시골 옥수수도 먹고, 싱싱한 바지락에다 논밥을 먹으면서 담소한다. 그렇게 좋아 보이는 얼굴들로 헤어진다. 좋아 보인다는 것이 꼭 좋다는 말이 아닌 것은 누구나 다 알고 있다. 더 좋아 보이는 얼굴의 미선이 늦을 새라 서둔다. 모태싱글로 똑 부러지게 잘 헤쳐 나가는 미선이 보기 좋다. 보기에 좋다. 속으로는 어떤지 아무도 모른다. 표리부동이 꼭 나쁜 말도 아니다. 속마음 다 내비치고 살기는 쉬운 일이 아니다. 살자면 그 나름대로 표리부동일밖에. 그러니까 엉큼한 표리부동은 경계해야겠지만.

오늘은 무슨 행사냐? 토론이야, 강연이야?

차에 오르자마자 정인이 캐물어도 미선은 대꾸가 없다. 전문적인 일에 관한 한 우리들하고 별반 나누지 않는다. 답답하리라.

내가 화제를 바꾸었다. 난 외려 자꾸 뒤가 켕긴다. 양파 값, 일 값, 시소처럼 오르고 내리고 연결되어 있잖아. 양파 값이 내려도 임금은 올라야 하고, 임금 오를수록 양파 주인은 내려가고…….

미선이 곧장 들어온다. 최저임금 올라가면 영세 고용주를 죽이고, 고용주 살리려면 최저임금 못 올리고. 정책 입안자들의 기본 고민이지. 모순이기도 하고. 도처에 이해 충돌이지!

시소가 바닥을 친들, 그래도 땅속으로까지 들어가는 건 심했어. 뭔가 잘못이야. 왜 죽어! 일 년 내 농사 지어 놓고! 성주가 잽을 넣는다.

잘못인 것 한둘이냐! 어찌 보면 사는 게 다 잘못이지.

남아, 뭔 말을 그렇게 해. 켕긴다며. 그런데 죽은 게 잘한 거야? 사는 것이 왜 잘못! 볼에 부드러운 바람 느끼면서 한낮 살았으면 좋은 날 아니냐고! 정인이 속상해 한다.

이게 무슨 좋은 날이야, 그저 그런 날이지. 있어도 없어도 되는 숱한 날들 중 하루.

그렇다고 오늘을 버리냐, 예까지 자알 살고서.

잘 살지 않았다니까, 그냥 살았지. 나도 버틴다.

그렇다고 버리냐고! 오늘을 버리면 어제에서 내일로 어떻게 건너뛰냐. 내일로 안 갈 거냐고?

내가 안 간다고 내일이 안 오는 것도 아니고. 있으나 마나 한 날들, 있어도 없어도 그만인 시간들이 허무해서 하는 말이지. 쓸모없는 생은 이른 죽음이라고 했어.

누가? 명언이야?

앗, 괴테의 이피게니다! 나남이, 그건 좀 다르지. 미선은 정말 박사다.

뭐가 달라. 아무짝에도 쓸모없이 숨만 쉬고 있으면, 이미 죽음이 와 있는 거라고. 죽은 거라고. 형용사 빼고 말하면, 생은 죽음이다.

누가 이 애 좀 말려라. 또 시작이다. 말수 적고 얌전하던 애가 이상한 말 터뜨리는 것 가끔 심하더라. 이것도 모순이냐?

너까지 왜 이래. 모순 소린 자꾸 듣다 보니 어째 거슬린다. 찔레꽃 향기 듬뿍 묻혀 가면서 웬 철학들이냐고.

힘들어서 그래. 넌 괜찮아? 하루하루가 괜찮아?

어때서?

미선아, 분위기 좀 바꾸자, 음악 큐! 경쾌한 하루를 마치고 귀가하는 우리들……

음악 소리가 들려오자 감긴 눈 안쪽에서 정인이 모습이 솟는다. 신발 소리가 사뿐하다. 앞뒤가 함께 닿는 발걸음은 맨발인 듯 가볍다.

박자 말고 선율을! 선율을 타라고요! 예, 그렇게. 아니, 고개는 들고요. 배를 등 쪽으로 민다고 고개를 내밀진 마시라고요! 앞가슴 활짝, 화알짝 펴서 쇄골까지 당기도록! 에이, 뒷가슴은 견각과 함께 앞쪽으로 밀고…….

선율이구나, 멜로디…….

남아, 무슨 소리? 무슨 선율?

어디에 가 있냐고! 얘가 점점…….

또 들컸다. 요즘에는 생각이 튀어나와서 속마음을 들키는 일이 부쩍 늘었다. 싱그러운 정인이가 부러웠나? 허리를 뒤로 젖히고 걷는 모습이 우아하다.

뭐냐니깐!

아니, 갑자기 정인이 신발 소리가 멎겨서. 마술이야, 천천히 걷고 싶음 천천히 사뿐히 걷고 싶음 사뿐하게.

발걸음 소리가? 어디서? 네 옆자리에 푹 앉아 계신 정인이 발자국 소리가 지금 들린다고?

응. 선생님 목소리를 따라 나긋나긋, 박자가 아니라 선율을 타면서 사뿐사뿐.

박자 말고 선율을 타면서 사뿐사뿐 – 너 우리 댄스교실 와 봤어? 정인이 놀란다.

아니, 그냥 생각이 난 거야. 생각하면 안 되냐 그래? 우물쭈물 변명으로 간다.

실은 우리들 다 댄스교실 다녀야 해. 운동 중에 최고라잖아, 음악이며 상대와의 교감이며, 단순운동과는 비교가 안 돼. 미선은 댄스에 관해서도 정답을 안다.

그게 쉬운 일은 아니지.

정인아, 그게 그런데 아침 아홉 시라고?

아, 그만둬. 새벽밥 먹고 춤추러 갈 일 있남요? 정인인 취미가 되시니까 쭈욱 하랍시다!

갑자기 음악이 꺼지며 차가 멎는다.

내려, 얘들아, 오늘 여기서 한꺼번에 푼다. 알아서들 흩어지라고! 씨유!

너 여기 미국 아니다. 잘 가라고, 라이드 고마웠어.

오염된 한국어구만. 하긴 단일민족도 아닌데 뭐. 샬롬!

나마스테!

지하철을 타러 내려갑니다. 오고 가는 것을 혼동하는 일이 없겠습니다. 여럿이 함께 내려가기 때문입니다. 실은 지난번에 문화전당역에서 금남로 쪽을 탔어야 했는데 남광주 쪽으로 갔다가 당황한 적이 있었습니다. 잃어버린 시간 때문보다는 낭패감 때문에 더 속상했었던 기억을 지하철 탈 때마다 하게 됩니다. 방향을 잃는 일이 어디 지하철에서뿐이겠습니까. 처음 순간 1°만 살짝 틀어져도 엄청 달라져 버리는 인생길을 살아가노라면.

그런데 인생이 직선은 아닙니다. 아예 꺾어 가기란 쉬운 일이 아니겠지만, 슬쩍 각도를 옮길 수는 없는지요. 과제를 수행하는 중에 주위의 사물이나 상황에 영향을 받지 않는 집중력은 우수한 성질이죠. 하지만 도가 넘으면 병입니다. 인생이 과제인 한 그렇지요.

귀를 베어 가도 몰라요, 쟤가!

어려선 숙제를 하거나 책을 읽다가 핀잔 듣기가 일쑤였답니다. 그때는 핀잔 속에 칭찬의 냄새가 끼어 있었습니다. 지금 와 생각하니 그게 꼭 칭찬받을 일은 아닌 것 같습니다. 결국 길을 바꾸어 갈 줄 모르는 사람이 되고 말았습니다. 가는 길이 가고 싶지 않다면, 바꿀 수도 없다면, 어찌합니까?

모순에서 찔레꽃으로 앙파로 춤으로 숨 가쁘게 상념을 옮긴 오늘, 오늘 하루가 갑니다. 들고나는 이 없이 닫혀 있기 일쑤인 현관문을 벗어났으니, 조금은 더 사는 것 같은 하루였습니다. 여럿이 섞여서 슬금슬금 앞으로 갔을지요. 앞이란 어디일까요. 목적지를 앞이라고 해야 할지요. 목적지는 어디일까요.

남은 날들 중에서 하루가 사라지고 있습니다. 몇 날이 남아 있을지 누가 압니까. 모르는 것에 대한 불안으로 숨이 막힙니다. 모르는 것은 흔히 어둠이라고 표현합니다. 창밖에 어둠별이 떠오릅니다. 오늘 밤이라는 이름의 밤이 올 것입니다. 어쩌면 밤새 숨이 막히겠지요. 아니면 내일 밤에, 어느 밤에. 아득히 혼자서.

숨

숨이 막힌다, 잠결에 전화기를 집으려다 숨이 멎는다. 소리를 들었던 것 같은데 다시 조용하다. 누구였을까. 손이 떨리는 만큼 가슴은 쿵쾅거리는데 정작 입이 열리지 않고 숨이 입술에 걸려 있다. 왜 전화기를 집어 들었을까. 꿈결이었을까. 무슨 소식을 기대하는가. 기다릴 아무것도 없다. 누군가 일 없이 이 어둑새벽에 전화할 리가 없다. 시간대가 다른 도희였나. 어머니가 시간에 좀 어눌해지셨다지만, 설마. 다시 울리지는 않는다. 불길한 생각을 미리 꾸어다 할 필요는 없을 것이다.

숨을 다시 크게 들이켠다. 크게 내쉬어 본다. 숨은 코로 쉬어야 건강하다고 했지만 사실일까, 결정적인 숨은 입으로 쉰다. 음파, 음파 하면서 코로 들이마시고 입으로 내쉬는 숨법을 익혀야 수영을 배우는데, 수영을 배우지 못했다. 들숨보다는 날숨이 더 어려웠다. 평상시에도 가만있으면 들숨이 되지만, 날숨은 힘을 들여야 공기가 빠져나온다. 물속에서 날숨은 물의 힘을 거슬러 내뱉어야 하기 때문에 더 어려웠다. 입을 여는 순간 물이 들어와 버렸다.

입을 여는 순간 – 입을 열어야 하는 순간, 입술을 열어야 했던 순간이 있었다. 입술을 열고 싶었다. 열렸나. 어스름이었지만 교정이었고, 교정은 열린 공간이었다. 직박구리가 울어 대는 은목서 아래, 그는, 선배는 나를 안았다. 선 채로였다.

아니, 라고 말하기도 전에, 아, 라고 말하기도 전에. 입술이 포개어지는 상상은 아직 빨랐다. 내가 느렸나. 전혀 준비가 되지 않았다. 목소리에 귀가 울고 있었고, 그 팔 안에서 떨리기만 했다. 고개를 살짝 쳐들게 된 것은 나도 모르는 순간이었다. 그렇게 세상이 정지되었다.

달콤했었나, 여러 표현들처럼 또는 상상처럼. 아니, 모르겠다. 아무런 기억이 없다. 이 말은 거짓이다. 지금도 기억하고 있으면서 기억이 없다니. 설명할 수 있는 언어가 없다는 말이 옳다. 일초, 이 초…… 시간에 관해서도 말할 수 없다.

나랑 결혼해, 괜찮겠지? 그렇게 가까운 소리를 흘려들으면서 나는 나무 위 새소리를 듣고 있었다. 괜찮겠지? 너 나랑 결혼하자고! 난 정말 못 들었다. 나무 아래 함께 서 있었던 선배의 목소리는 못 들었다. 하늘을 향해 내지르던 새소리만을 기억한다. 나뭇가지 꼭대기, 먼 데 새소리만 시끄러웠다. 입은 얼어붙어 있었다. 숨 자체가 없었다.

우리는 헤어졌고, 내가 도망쳤고 숨었다. 마음은 그 자리에 못박아 두고 숨었다. 한 치도 따라오지 못하는 마음은 그 자리에서 얼음이 되고 바위가 되었다. 되는대로 얌전을 떨며 교실 주변만 오갔다. 가까운 친구들도 잠깐 의아한 눈초리로 보다가 말았다. 다들 무엇엔가 바쁘고 충만했다. 미래를 꿈꾸면서 부산한 친구들에 비해, 또는 갑자기 물벼락 같은 배신감에 아파 우는 친구에 비하면, 나는 평정심을 유지했다. 잘 지내야 했다. 참 어려운, 무서운 시절이었지만, 비겁하게 눈 반쯤 감고 코앞 50, 60cm만 보고 다니며 졸업을 했다. 이 아니 평정심인가.

결혼도 했다. 신혼여행도 다녀왔고, 신혼살림을 차렸다. 부엌에 가면 어려운 것이 많았지만 차츰 극복했다. 무엇보다 물고기의 눈알들이 무서웠었다. 아냐, 이건 물고기가 아니고 생선이야. 밥상을 위해 태어난 것들. 생선의 배를 가르고 내장 손질도 하고 이등분 삼등분해서 끓였다. 끓이고 나면 반찬이 될 터였다. 채를 썰면 몽둥이가 나왔고, 미나리 다발에서 깜짝 놀랄 뭉클한 어떤 생물을 떼어 내는 날이면, 나도 모르게 너무 데쳐서 누런 죽이 되어 나왔다. 실패는 성공의 어머니가 아니라 그대로 연속극이었다. 세상에 어려운 소금과의 숨바꼭질은 여태도 어렵다. 하지만 다들 말하는 것처럼 보금자리를 만들려고 노력했었다. 다 잘 될 것이었다. 다들 하고 사는 평범한 생을 살아가지 못할 이유가 없었다.

결혼 1년차였다. 봄이었고, 만물은 초록으로 소생하고 있었다. 알맞게 익은 토마토가 갑자기 메스꺼웠다. 그러고 보니 뭔가 신호가 있는 듯했다. 달력의 숫자를 보면서 미소와 불안이 한데 밀려왔다. 어라? 그렇게 어색한 며칠이 지났다. 설마, 제2막의 인생이 시작되려나.

오른쪽 아랫배에서 둔탁한 통증을 느꼈다. 맹장은 아닐 터. 내게는 맹장이 일찍이 치워지고 없었으니까. 그때는 어리기도 했었지만 무서움이 더 컸던지, 데굴데굴 구를 정도로 아파서야 엄마에게 말했다. 바로 큰 병원 응급실로 업혀 갔고, 그리고는 맹장을 떼어 냈다 했다. 물, 물 물……. 며칠 계속되었던 사막의 체험은 지금도 아스라이 남아 있다. 그때의 통증에 비하면 이번엔 참을 만한 동통이었다. 게다가 임신이라는 경험은 처음이다 보니, 그게 혹시 이렇게 불편한 것일까, 그런 생각으로 있었다. 순간 출혈이 있었다. 피는 붉다, 그런데 붉은 선홍색이 아니었다. 불길함과 무서움을 불러일으키는 거무스레한 피였다. 망설이다가 급한 대로 산부인과를 찾았다. 어쩌죠, 보호자랑 얼른 다시 오세요! 그것이 그것이었다.

자궁 외 임신이라고? 자궁 바깥에 무슨 임신? 자궁강 내 임신의 경우에도 유산이 가능했겠지만, 자궁 외 임신이란 아주 묘한 상황이었다. 앉을 자리를 잃은 아이. 직장과 자궁 사이에 존재하는 복강의 일부분인 막힌 주머니에 비응혈성 혈액이 고였단다. 그러니 100% 자궁 외 임신, 그리고 난관 파열이랬다.

남이 씨만 괜찮으면 일 없어요. 우린 아직 신혼이고.

…….

고 녀석이 어쩌다 난관에 앉아 버렸네 그만, 성미 급하게 시리.

…….

하지만 난관은 둘이니까, 난소도 다 괜찮고. 걱정 말아요, 일단 푹 쉬고.

…….

미처 울 수도 없이 숨 가쁘게 지나간 날들이었다. 어려서 했던 맹장 수술의 상처를 상상해 보았다. 배 속 어딘가에 울툭불툭한 흔적이 있어 아이의 순항을 가로막았을까, 설마. 아무튼 아기가, 아기가 될 어떤 것이 제 자리를 찾아 내려가다가 무슨 턱 같은 데에 걸렸단다. 어느 순간 더는 자랄 수 없어 온통 파열하고 말았단다. 활화산처럼 분출했을까. 아팠을까. 아직 통감은 자라지 않았을 것이야. 어떤 위로도 위로가 되지 않았다. 어미가 내어 준 자리가, 착상의 자리가 불안정했다니, 더는 자랄 수 없는 자리였다니. 그러고도 어미일까. 잘 못 내어 준 자리에 멋모르고 앉은 태아는 세상을 보지 못했다.

내게 잉태되어 자라던 생명체가 제 모습을 갖추기도 전에 떠났다는 사실은 인정하기 어려운 악몽이었다. 울었다. 미안해서 울고 무서워서 울었다. 무조건 한없이 미안했다. 열린 창 너머로 병원 밖에서 새 울음소리가 들려왔다. 따뜻한 봄 공기가 들어오는 대신 시끄러운 새소리만 건너 들어와서는 천장까지 흩뜨려 놓았다. 병실 안이 확성기를 틀어 놓은 듯이 시끄러웠다. 무어라고 힐난하는 소리처럼도 들렸다. 누군가에게서라도 질책을 듣고 싶은 심정이라서 그리 들렸을 것이다.

나 나름대로는 누구의 아내가 되려고 노력했었다. 꽤 어려서부터 보아 왔던 남자, 정확하게는 울 오빠 친구인 환희 오빠가 남편이 되었다. 괜찮았다. 따뜻한 손에 따뜻한 마음을 다 가진 좋은 남자였다. 좋은 남자다. 내 멍청한 짓거리도 다 알고 있었다. 아무 소리나 듣고 아무 소리도 못 듣는, 병도 아닌 병을 가진 나를 꺼려하지 않았다. 꺼리지 않은 정도가 아니라, 아마도 나를 위해서 이비인후과 전공의가 되었다. 오랫동안 똑같은 거리로 떨어져 있었다가 결혼으로 한 발짝 다가온 좋은 사람이었다. 좋은 사람이다. 좋은 사람의 아내 노릇, 그리 어려운 일도 아니었다. 사소한 한두 가지를 빼면.

사소한 한두 가지는, 이 말을 해도 되려나, 잠자리에 동시에 가는 것을 피하는 것 등이다. 함께 자리에 들고 함께 깨어나는 환상적인 잠자리는 모든 부부에게서도 어려울 것이다. 좋은 사람인 남편은 정말 좋은 사람인 것이, 신혼의 첫 밤을 혼자 잠들게 배려해 준 일로 증명된다. 평생 고마워한다. 처음으로 한 낯선 방 네모 공간에 내팽겨진 남녀, 그 상황에 쉽게 적응하지 못하는 신부를 먼저 자리에 들어 쉬라고 배려해 준 사람이었다. 그 처음 상황이 어색해서 오래도록 잠이 들진 않았지만, 하릴없이 혼자 앉아 있던 실루엣을 실눈으로 바라보면서, 좋은 아내가 되어야지, 그렇게 마음먹지 않을 수 없는 밤이었다.

그리고 포유동물인 우리 사이에도 도파민 작용이 일어났을 것이다. 일어났다. 그리 쉬운 일은 아니었지만 잠자리라고 하는 일도 점차로 자연스러워졌다. 여자인 것이 어쩌면 다행이었다. 수동적일 수 있었으니 말이다. 사실 남자들은 그 점에서 고민스러울 수도 있겠다 싶었다. 예컨대, 입술은 포함인가, 아닌가, 포함이면 어느 순서에 어느 만큼이 가장 어울리는가. 그런 것들은 어떻게 시도해야 하는지, 태어나서부터 알았을 리는 없고, 어디에서 어떻게 배워서 준비를 해야 할 것인지.

입술 이야기가 나왔으니 말인데, 나로선 그 부분이 문제였다. 잘 호응하고자 하는 의도에도 불구하고 나는 크게 잘못을 했다. 무심코 고개를 너무 강하게 돌려 버렸다. 거의 반사 작용이었다. 더 내밀한 부위들, 예컨대 늘 옷으로 가려지는 부위들, 항상 노출되어 있는 입술에 비해서 더 부끄러운 부위들도 결국 내려놓았다. 내려놓았다는 표현이 좀 그런가, 아무튼 감정을 실어서 호응하려 했고 아마 감정이 실렸다. 그러다가도 남편의 입술이 얼굴 쪽으로 향하면 긴장감이 치밀었고, 목도 귀도…… 그러나 입술만은. 입술과 입술이 닿는 일은 일어나지 않았다. 입술은 나만의 것이다. 두 번째로는 누구와도 나눌 수 없는 무엇이다.

머피의 법칙은 어김없이 이어졌다. 또 다른 봄이 왔고, 이번엔 왼쪽으로 통증이 왔다. 공평함이란 이런 때 아무런 도움도 위로도 되지 못했다. 오른쪽 왼쪽의 균형이 무슨 소용이란 말인가. 절름발이가 되어도 좋았으니, 왼쪽만큼은 튼튼해야 했다. 하지만 왼쪽 길로 등장하던 두 번째 태아도 똑같은 방식으로 나를, 우리를 떠났다. 다들 하고 사는 평범한 생을 살아가지 못할 이유가 생기고 말았다. 정성이 부족했었나. 아이를 잉태하는 순간의 정성이, 사랑이 그리 부족했었다고 자책할밖에 없었다.

메아 꿀빠.

온몸으로 온 맘으로 잉태를 향해 두 팔을 벌리지 않은 죄였습니다. 맘은 보이지 않는다 치고, 온몸을 통째로 다 내어 주면서 새 생명을 받았어야 합니다. 입술만은 제발…… 그렇게 몸을 사리고서 너를, 너희를 잉태하고자 했다니. 나는 죄인입니다. 그렇게 살아왔습니다. 그 두 아이는 신실하지 못한 엄마에게서 잉태되어 온전한 생으로 자라나지 못했습니다. 길도 없는 깜깜한 벽에 눌려 온몸이 부스러져 터져 나올 땐 얼마나 아팠을까요? 물어볼 새도 없었습니다. 젖이 나오는 부드러운 주머니를 만지작거려 보지도 못했고, 오옹, 으엉, 옹알이도 한 번 해 보지 못했습니다. 음마, 엄마라는 단어도 배우지 못했습니다. 시소에 슬쩍 엉덩방아를 찧어 보지도 못했고, 그네에서 미끄러지는 아찔한 순간도 몰랐습니다. 아, 숨이 막힙니다. 이런 몹쓸 어미라니요.

남편은 평정심을 유지해 보였지만, 집에 돌아와서는 만 하루를 아무 말도 하지 않았습니다. 지금도 기억합니다, 그 깊은 침묵의 색깔과 침묵의 소리와 침묵의 움직임들을.

정지된 어둠의 시간이 흐른 뒤 그이는 놀랍도록 빨리 일상으로 돌아왔습니다.

아, 이렇게 자발적으로 여피족 합시다!

…….

여피, 둘 다 고등교육을 받고 도시나 도시 근교에 거주하며, 전문직에 종사하면서 그 나름대로 고소득을 올리는 젊은 부부라면 여피라 한다지만, 우린 그건 아니었습니다. 우선 내가 전문직은커녕 아무런 직업도 없었으니까요. 전업주부, 아이를 낳지 못하는, 자녀를 기르지 못하는 전업주부란 대체 뭐란 말인가요.

딩크, 더블인컴노키즈! 나중에 딩크족이란 단어가 유행할 때도 소용없었습니다. 반쯤 겨우 살아가는 여자를 분류하는 이름이, 특정 명사가 없습니다. 나는 아무것도 아닙니다. 누구 엄마도 아닌 것이, 직업도 없었으니까요.

아파트 뜰에서 유모차에 앉은 아이, 우유병을 빨고 있는 아이를 봅니다. 젖을 먹이는 상상을 해 봅니다. 몸에서 흘러나오는 애틋한 액체, 눈물 콧물 더러운 액체가 아닌 생명의 액체. 젖을 먹이는 어머니, 아아. 위층에서 아이들의 사근사근 발자국 소리가 나면 눈은 감기고 귀가 쫑긋, 아이들 얼굴이 떠오르죠. 싫어 싫어

─ 내 꺼야 ─ 엄마아 형아가 ─ 요오놈들이…….

위층 여자, 아이 엄마는 상냥합니다. 만나면 미소 짓고, 죄송해요, 애들 땜시…… 귀여운 사투리를 흘립니다. 애들이랑 함께일 때는 애들한테 인사도 시킵니다. 인사해, 아랫집 이모셔. 이모 아냐! 똘똘한 녀석이 말합니다. 응, 아랫집 아줌마! 안녕하세요이! 에이, 예쁘게, 안녕하세요! 안녕하세요오! 통탕거리며 앞서가면서 큰 소리로 인사합니다. 곧 쿵쾅거리겠지, 곧 목소리가 변하겠지. 그러니까 다 옛날 일입니다.

지금은 그 아이들이 엄마 아빠가 되어 꼬맹이들을 데리고 나다니는 시간입니다. 길에서 이웃 엄마 아이들을 만나면, 할머니야, 인사해! 그런 인사를 받습니다. 그 긴 세월 동안 무슨 일을 해 보려 했을지, 어떻게 그 수많은 날들을 살아왔는지 어찌 보면 신기하기도 합니다. 아무 일도 안 하고 그냥 살기.

10년 전쯤이었죠. 은혼식을 기념하자고, 다시 제주엘 가 보자고 하더군요. 부끄러웠습니다. 우선 신혼여행 때의 미안했던 기억을 불러내고 싶지도 않았지만, 결혼 스물다섯 해 동안 무슨 기여를 했다고 은혼식 선물을 받는답니까. 후손을 낳은 것도 재산을 불린 것도 아닌 아내란 ─ 심각한 정체성 문제가 수면 위로 떠올랐습니다.

무엇인가를 하자. 돌이켜 보니 적극적으로 뭣 하나 도전하거나 그런 일도 거의 없었습니다. 왜 못했을까요. 미리 자신이 없었던 것입니다. 하다못해 운전면허시험에도 두 번 떨어지자 더는 시도할 맘이 없어졌고, 그래서 운전도 못 합니다. 코스 중에서 멈췄다가 다시 출발하는 대목에서 똑같이 또 떨어졌으니 말입니다. 멈췄다가 다시 출발하는 것이 왜 특별히 어려울까요. 처음 출발 때처럼 하면 될 일이다, 마음을 먹지만 잘 안 되었습니다. 순간 멈추었다가 다음 순간 곧 다시 출발한다는 작동이 아니 되는 것을 어떡합니까. 그때 카세트 라디오처럼 이것 누르다 저것 누르다 하면서 채널 바뀌는 것이 불편했더라도, 시험에 나가서는 불편 따윌랑 잊었어야 하는데요.

그래, 뭔가 자격증에라도 도전하자. 미선의 정보 덕택에 놀라울 경험을 하긴 했습니다. 한국어교사양성과정 – 한국어교사란 국어교사만큼 탁월한 실력을 갖추지 못해도 괜찮겠다는 어설픈 안심도 살짝 있어서 덜컥 등록을 했습니다. 여름방학 낮 시간 동안의 교육이었기 때문에 굳이 남편에게 말하지 않고 할 수 있다는 것도 좋았고요. 어쨌거나 다시 캠퍼스에 간 것입니다. 새삼 국어를 공부하면서 놀란 일, 그렇게나 잘 못 쓰는 단어들이 많았다니요. 습관적으로 열쇠 자물쇠를 열쇄 자물쇄로 쓰는 버릇 등, 그밖에도 셀 수 없이 많은 오류들이라니, 누가 한글을 쉽다고 했나요? 아무튼 한글 맞춤법, 표준어 규정에 외래어 표기법까지 A4 반쪽으로 출력해서 묶어가지고 다니면서 외울 때의 경험은 특별했답니다.

그런데 한국어는 30시간뿐이니, 일반언어학과 외국어로서의 한국어 교육이론을 합쳐서 거의 60시간에 가까운 것과 비교하면 너무 적었습니다. 또 교수법이란 참 어려운 것이, 예컨대 비계라 하면 돼지비계 말고도 건축 용어에선 들어봤었지만 교수법에서 등장하면 전혀 엉뚱한 느낌이었어요. 아무튼 장 의존(Field Dependence)적 인간과 장 독립(Field Independence)적 인간이 있다는 것, 유형에 따라 교육도 달라져야 한다는 것도 배웠으니까요. 뭔가 유식해지는 느낌도 있었는데, 난 그럼 어떤 유형이냐고요? 그것 하나는 독립인 걸 알게 되었습니다. 운전을 하지도 못하면서 길을 찾아야 할 때 간판보다는 방향을 고집하는 것이 그런 예라더군요. 세상 간판을 어찌 다 아느냐, 동서남북으로 느끼는 것이 편하다, 늘 그랬었는데.

그건 그렇고, 결과적으로 교육이론에 매우 약했던 내 시험결과는 뻔했습니다. 거의 6:1이라던 그해 응시율로 보아 합격할 확률은 없었던 거죠. 비싼 수강료에 더해서 수험료까지 함께 날린 것입니다. 양성과정 동기들은, 나이는 정말 천차만별이더군요, 한 번 더 응시 기회가 있다고 했지만, 안 될 것이라는 판단이 섰지요. 국어교사자격증을 가지고도 임용고시에 매번 안 돼서 한국어교사 쪽으로 왔다는 젊은이도 함께 떨어졌으니까요.

속상해 하지 마. 다들 떨어지고 그러는데 뭐. 네가 무슨 특별한 사람이라고 그래.

그럼, 젊은 애들이나 붙지. 못 붙어도 수료증으로 취업이 된다면서. 외국에 나가서는 한국어 인기 짱이래.

내가 무슨 외국에를 간다고…….

이런 불발도 친구들은 잘 달래 주었습니다. 하지만 그들은 적어도 누구 엄마고, 미선인 싱글이지만, 해서 누구 엄마는 아니지만 선생님입니다. 박미선 샘!

그러고는 다른 시험에 도전은 안 했다니까요. 무엇엔들 엄두가 나질 않아서지요. 낮 동안에는, 아니 거의 쉬고 있는 컴퓨터를 열면 무궁무진, 거의 블랙홀이더군요. 장욱진의 가로수 그림을 컴 화면에서 보고 숨이 멎을 것 같은 순간이 있었지요. 예술성? 그런 건 아예 모르지요. 집들을 수관 꼭대기에 이고 서 있는 나무들이라니요. 네 그루의 나무들. 그림은 말이구나, 그리는 사람이 소통하는. 그래, 민화를 해 볼까? 민화라고 접근이 쉬울까? 주위엔 민화 프로그램이 없었어요. 연필 스케치를 다녀보았죠. 선부터 어려운 것이, 손이 바들바들 떨려요. 딱히 죄 지은 것도 없이 말입니다. 아무튼 준비물이 많은 것도 싫고, 몸을 많이 움직이는 것도 싫고, 이것저것을 피하다 보니 나다닐 마땅한 프로그램이 없는 겁니다. 이런저런 취미도 없으니 맹물 인생입니다. 취미가 아닌, 어떤 보람을 찾아서 생산적인 일을 해 본 경험은 아예 없었지요. 어쩌다가 이리 되었을까요. 일 년 삼백예순 날, 십 년, 이십년…….

그날도 그저 그렇게 모여 앉아 커피를 차를 홀짝이고 있을 때였습니다.

사는 것 허무하네. 손에 잡히는 것이 없어.

왜 내가 신소리를 했을까요.

나는 뭐 별다르게 산 줄 알아? 너보담 좀 나았나? 싸돌아다니기라도 했으니까.

그러던 정인이 갑자기 시무룩해집니다. 동글한 얼굴로 동글게 웃고 동글게 말하는 그 애의 시무룩한 얼굴을 보니까 나도 따라 시무룩해집니다.

왜 그래, 정인아. 안 어울리게 왜 그래!

어울리는 게 어딨어! 나 우울하고 싶어, 폼 잡고 우울하고 싶다고!

왜 그래, 왜 그래. 다들 눈이 커집니다. 휘둥그레집니다. 설마 얘네도 무슨 문제가? 다들 놀라서 눈에만 힘이 들어갑니다.

아들이 없잖냐. 요즘 들어 우리 그인 은근히……. 아냐, 나 좀 봐.

아들은커녕 딸도 없는 내가 눈에 들어오는지 정인이 순간 멈칫합니다. 곧 표정을 바꾸더니 득달같이 내뱉습니다.

아니, 그러니까 좀 나와! 나오라고! 어디서 허무를 읊어 대느냐고! 쏘셜 싫으면 라인댄스는 어때? 누구 붙잡고 그런 것 없어요, 이 결벽증 아줌마야!

정인인 회복이 빠릅니다. 그래서 우리가 다 좋아하는가 봅니다.

힘들다는 말도 하지 마! 그래 누가 너더러 히말라야를 오르재냐, 산티아고를 걷재냐. 그냥 좀 나와.

아, 히말라야!

히말라야라는 단어에 꿰인 성주가 한탄스럽게 말합니다. 히말라야를 가 보고 죽을 수 있을까…….

여기서 웬 히말라야! 너무 멀리들 간다. 미선이 궤도를 다잡습니다.

그래, 갑자기 웬 걱정들이야. 나 너희랑 가끔 만나잖아. 봄나들이도 꼭 하고. 벌써 몇 년째인데 우리도 참 대단하다. 꾸준히, 무슨 약속처럼 봄이면 캠퍼스를 다시 가서 확인하고. 나무들 잘 있었어? 그런 인사도 하고.

애 좀 봐, 캠퍼스 이야기 나오니 평상심 찾네. 남아, 넌 유난히 학교 나무들 좋아해, 응.

오, 그래, 봄나들이. 봄마다 캠퍼스 다시 돌아보는 사람들도 흉진 않겠구나. 우리 봄나들이 몇 년째냐, 누가 좀 세어 봐라. 남이가 기억하는, 기대하는 모임도 있구나, 참.

기대가 아니라, 기다려. 저절로 기다려지네.

기다려? 정말? 신기하다. 왜? 그런 말 잘 안 하더니.

응, 그 사람, 이태 전이던가, 우리 가던 카페에서 믿어지지 않은 파면 이야기를 하던 여자 말이야. 이젠 안 오나 봐. 이런 말은 절대로 못 합니다.

파면이었어요, 파면되었다고요. 당신은 이 순간 부로 파면이요. 그러니 교무실로 소지품도 가지러 가지 말고 그대로 현관으로 나가서 이 학교 근처에 얼씬도 말라…… 그랬다구요. 아무리, 설마. 하지만 난 분명히 그렇게 말하는 소리를 들었습니다. 숨을 멈추면 다른 데로 먼 데로 갈 수 있다니까요. 지금도 그리로 간 거죠.

파면 ─ 그 사람 다시 한 번 봤음 좋겠어.

내가 만일 그렇게 말하면 친구들은 벌집처럼 일어날 것이 뻔합니다. 무슨 파면, 무슨 소리야. 누가 있었다고? 그때 언제 누구? 옆 자리에 두 사람? 어떤 두 사람? 아니, 어느 봄날 어느 카페에서 스쳐 지난 사람을 무슨 수로 또 어느 봄날 어느 카페에서 같은 시간에 마주치느냐고! 그런 확률이라면, 너 수학 좋아하면 한번 계산해 보시지요! 아니, 미선아, 네가 좀 계산해 주라. 얘 정신 좀 들게. 그렇게 쏘아댈 장면이 무섭습니다. 미리 무섭습니다.

나이 들어가나 보다 뭐. 옛것이 그리워지네.

그렇게 말을 돌립니다. 정답입니다. 사람은 꼭 해야 할 말을 꼭 해야 할 순간에 잘해야 예쁩니다. 그 정도는 압니다.

나 이쁜 것 아냐?

얘 좀 봐, 점점.

그래, 이쁘디이쁘다. 근데 왜 이리 요상한 유머를 떤다냐, 너 무슨 말 감추고 있지?

감추기는. 말하면 한다고 나무라면서, 안 하면 안 한다, 못 하면 못 한다니!

그렇게 그만 주눅이 들고 맙니다. 그런 하루도 지나갑니다.

저녁입니다. 금요일 저녁에는 이 사람이 더러 늦습니다. 간단히, 아주 간단히 저녁을 먹습니다. 얼마나 간단하냐고요? 햇반 130g, 오이 반 개와 고추장 티스푼 하나, 무김치 두 쪽, 다른 아무것이나 조금. 뭔가 조리를 하지 않으면 냄새가 별로 없어 좋습니다. 살짝 추운 느낌은 뜨거운 보리차로 해결합니다.

창은 닫았고, 또 다른 창들도 열지 않고 있습니다. 요즘엔 영화관에도 잘 안 가지만 텔레비전 열기가 겁이 납니다. 내가 소화하기에는 너무 격한 장면들의 연속입니다. 픽션이 아닌 뉴스도 마찬가지입니다. 사건마다 전대미문, 보도 행태도 서로 질 새라 무섭습니다. 손바닥 꼬마 창은 늘 닫혀 있습니다. 생각해 보니 톡톡 노크가 들어오거나 울리기 전에 스스로 여는 일은 드문 것 같습니다.

하릴없이 생각에 잠깁니다. 어쭙잖게 거창한 말 같지만, 사람들은 시대 속에서 삽니다. 일제 때를 피했고, 전쟁도 넘어갔고, 사랑들이 넘쳐서 아이를 제일 많이 낳았다는 그해 태어난 우리는 복이 많은 편이죠. 90만 명이 땅! 하는 신호 소리에 맞춰서 앞서거니 뒤서거니 세상에 나온 것이랍니다. 숫자를 상상하기는 너무 어렵죠. 90만도 상상하기 어려운 바글바글 많은 숫자인데, 뉴스에서 1조 원 어쩌고 하면 머리가 아픕니다. 대체 1조 원은 얼마나 많은 돈일까요. 하루에 100만 원을 모으면 100만 날이 걸리는 돈이 1조입니다. 100만 날은 대체 얼마나 될까, 나눗셈을 찍어 보니 2,740년쯤이더군요. 하도 실감이 나지 않아서 하루에 1,000만 원을 모은다 해 보았더니 그래도 274년이 걸립니다. 세상에, 사도 세자가 뒤주 속에서 죽지 않고 오늘까지 살아서 모았다 해도 될까 말까 하는 돈입니다. 사람은 살아생전에 1조를 모을 수 없습니다. 그런데 1조는 널려 있습니다. 사람이 아니면 무엇이 모았을까요.

숫자란 정말 가장 머리 아픈 것들 중 하나입니다. 아무튼 생선 알처럼 무수히 태어난 우리는 기억하는 한 뼈저리게 가난하지는 않았고, 깔깔댔고, 대나무 밭에 대 자라듯이 빼꼭하게 자랐습니다. 오빠만 해도 중학교 들어갈 때 시험을 봐서 힘들었다지만, 우린 중학교 고등학교도 편하게 들어갔지요. 물론 갑자기 대학 문턱에 이르러서야 경쟁률 덕에 혼쭐났지만, 그건 아무것도 아닌 걸 알게 되었습니다.

남이 너네가 대입 경쟁할 때 아예 예비고사를 포기한 사람이 얼마였는지나 알아? 셋 중 두 명은 대학을 생각하지도 않았어. 꿈도 못 꾼 애들이 더 많았다고.

경쟁에 참여하지 못한 나머지 60만 동기들에 대한 부채감을 심어 준 사람은 온갖 풀 이야기를 나무 이야기를 들려준 그 사람이 그 사람이었습니다. 내 말을 듣지도 않고 큰 소리로 혼자서 이야기를 할 때의 진지함이라니. 선배는 아주 듣지 못하는 것은 아

니었지만 장애였으니까 말소리가 컸지요. 머쓱해서 소리를 줄이
곤 하던 선배는 그렇다고 청각 장애를 심각하게 장애로 느끼지는
않았습니다. 모든 사람들은 각자 나름대로 장애를 가지고 있다고
도 했어요. 내가 숨바꼭질처럼 숨어 버린 뒤, 나 또한 엉뚱하게
듣고 엉뚱하게 못 듣는 일이 심해지기 시작했습니다. 약간 익살맞
은 ─ 익살인지 샤덴프로이데인지 ─ 도희는 걱정인 듯 위로인 듯
내 마음을 찔렀습니다.

언니야, 알아? 청각 상실이 시각 상실보다 더 불행하대. 시각
상실은 사람을 사물들로부터 고립시키지만, 청각 상실은 사람들
로부터 고립시킨대. 헬렌 켈러 말이니 확실한 거지!

알다마다, 네가 말해 준 것만도 몇 번인데. 프럼 띵스, 프럼 피
플. 그런데 그건 핑계란다, 도희야. 못 보고 못 듣는 것이 핑계가
될 수도 있어.

핑계라고? 그럼 부러 못 듣고 못 본다는 거야 뭐야.

아예 못 듣고 못 본다기보다는 그냥 피할 수도 있다는 말이지.

언니는! 눈이야 감을 수 있다지만 귀를 어떻게 감냐? 사람이
사람을 왜 피해? 그걸 말이라고!

적극적인 도희다운 발상입니다. 적극적이 아니라면 누가 감히
그 시절에 국적을 뛰어넘어 결혼에 이르렀겠어요. 도희는 한국이
아니라 세계에서 살기 때문에 우리랑은 많이 다릅니다. 어쩌다 엄
마 곁에 와 퍼질러 앉아 김치찌개나 장떡을 먹어 댈 때는 그냥 사
람 같기도 하죠. 우리 딸, 김치 먹고 잡아도 못 먹고, 말까지 넘의

말 하면서 어떻게 산다냐. 염려 마세요! 성질나거나 앓아눕기나 하면 우리말 실컷 해요, 엄마. 그래 놓고는 다음 순간 쏜살같이 아줌마 아닌 미세스로 되살아납니다. 가끔은 혼잣말을 한다는 도희, 혼잣말은 말 아니거든, 이라고 쏘아 줄까 보다. 아니, 그냥 무조건 보고 싶을 때가 많습니다.

입 다물듯이 눈 감듯이 듣기도 피할 수 있다고 말은 했지만, 무슨 뜻이었는지는 나도 모르죠. 그냥 소통이 잘 안 되는 것, 그것은 그냥 내가 어느 한 중요한 문제를 넘어가지 못하고 있어서 다른 것들이 잘 안 되는 것입니다. 그 다음 문제들을 잘 듣지도 보지도 못한다 그 말입니다.

나랑 결혼해, 괜찮겠지? 나랑 결혼하자고!

그 말에 답을 할 수 없었던 것은 그땐 잘 몰랐지만 여러 이유에서였습니다. 우선 말소리가 갑자기 작아져서 잘 못 들었을 수도 있었습니다. 평소엔 목소리가 엄청 컸던 선배가 그날따라 아주 작은 낮은 목소리였거든요. 긴가민가 내용을 이해했을 때에는 그게 너무도 갑작스러워서, 낌새도 못 챈 질문이었기 때문에 숨이 멎었지요. 어떤 면접에 나가더라도 최소한 문 밖에서부터 준비는 하잖아요. 전혀 무방비로 질문을 받은 나로서는 아무런 준비도 없이 문제의 핵심에 찔려서 비명을 지를밖에요. 소리 없는 비명은 목에 걸렸습니다.

게다가 물리적으로는 입술 때문이었습니다. 내 입술은 무엇엔가 천 근 바위 느낌에 눌려서 움직일 수가 없었습니다. 숨을 쉴 수도 없었습니다. 당연히 답을 할 수 없었지요. 그러니 입술 또한 미완으로 남았습니다. 그 입술에 답을 했던가? 아무리 생각해도 잘 모르겠습니다. 입술을 받아들였는지 응답을 했었는지 알 수가 없습니다, 몇십 년을 생각해도 알 수가 없습니다. 그러기 때문에 그 뒤로는 다른 어떤 질문도 잘 들어오지 않는 것입니다.

남아, 이제부터 널 남이 씨라고 부를게. 환희 오빠 하지 말고 환희 씨 해 봐.

…….

울 오빠의 친구 환희 오빠가 갑작스레 나더러 나남이 씨라고 호칭을 바꾼 이래, 더 이상은 남이야 라고 부르지 않습니다. 아주 어린 시절은 아니라 해도 늘 남아 남아 그렇게 부르던 환희 오빠가 갑작스레 나남이 씨라고 호칭하는 것을 들으니 어색하기 짝이 없었지요.

남아, 이제 그만 침묵을 깨, 깨라고!

그래도 놀랐을 것입니다.

남이 씨, 이제는 그만 침묵을 깹시다. 큰 소리로 말하고 큰 소리로 웃고 삽시다.

이건 더욱 놀라운 일이었습니다.

저 남이 씨랑 결혼하겠습니다. 많이 말하고 많이 웃게 하겠습니다, 어머님.

울 오빠가 어머니라고 했으니 망정이지, 엄마라고 했더라면 울 엄마에게 엄마라고 했을 환희 오빠가 갑자기 어머님이라 부르는 소리에 울 엄마도 놀라셨겠지요. 그렇게 환희 오빠의 나남이 씨가 되어 수십 년이 흘렀습니다. 그런데 얼마 전부터 결혼반지가 사라졌어요. 커서 헐거워졌다 싶었는데, 한번은 욕실에서 빠져서 깜짝 놀라 다시 끼었죠. 그때 다시 낄 것이 아니라 고이 모셔 두었어야 하는데, 금은방에 가서 줄이거나. 그 다음 언젠가는 아예 사라졌어요. 오늘 저녁에도 잠시 또는 멍하니 길게 나를 빤히 쳐다볼 남편의 눈빛에 움찔합니다.

침묵, 침묵에서 깨어나요, 깨어나야 해요. 그렇게 말하는 눈빛을 압니다. 평생 압니다. 지금도 변함없는 눈빛, 침묵에서 깨어나요, 깨어나야 해요. 기쁨, 슬픔, 즐거움, 심지어 우울, 후회, 불안 아니면 절망이더라도 말 좀 해요. 말을 좀 하라고요.

내 귓가에 울려 퍼지는, 귓속으로 들어오지는 못하는 소리들, 소리들. 소리들은 바글바글 거품처럼 뭉쳐서 부딪거나 흩어집니다. 말하라고? 그 청혼을 받아들이려 했었는지, 받아들이고 깨졌는지, 아예 거부했었는지, 말을 하라고? 잘 모르겠는 것을 어떻게 말하라고?

못 했습니다. 평생 말하지 못했습니다. 그 첫 번째 말을 내뱉을 수 없었으므로 다른 말들도 진솔하지 못했습니다. 바람직한 말들을 고르고 바람직한 말들을 하려고 애쓰면서 살았습니다. 시간이 흐르면서는 바람직한 것이 무엇인지 구별하기가 점점 어려워졌습니다. 내 입은 바람직한 소리를 말하기 위해서 부단히 부단히 노력합니다. 힘이 듭니다. 또 내 입은 다른 입을 받아들이지 않으려고 무심코 무심코 반응합니다. 자동적인 움직임이지만 역시 너무도 힘이 듭니다. 이렇게는 살고 싶지 않습니다. 사는 것도 아닙니다.

숨은 저절로 쉬게 됩니다. 답답하면 내쉬고 또 어느 결에 들이쉽니다. 내가 숨을 쉬는 것일까요? 아닌 듯합니다. 나 아닌 다른 자동 기계가 내쉬고 들이쉬는 숨, 그것 하고 싶지 않습니다. 숨을 내쉬지 않으렵니다. 가슴이 터질 듯합니다. 숨이 터져 나오려 합니다. 입이 벌어지고…… 다음 순간 물이 밀려들어 옵니다. 웬 수영장에 와 있을까요. 필사적으로 물을 들이켜지 않기로 합니다. 멈춥니다. 멈추……

숨을 안 쉬려고 해요? 날숨은 나오는데 들숨을 거부해요? 반댄가? 이런 균형이 깨지는 일은 난생. 어쩌다 이런 상태가…….

숨 쉬죠. 당연히 쉬어지지요. 다만 이 사람이 자기는 숨을 안 쉰다고 믿는 겁니다. 많이 아픕니다. 오래 아프고 있었는데, 얼마 전 결혼반지를 잃어버리고는 더 나빠졌어요. 마르더니, 손가락이 얼마나 말랐는지 그만 반지가 빠져 버렸겠지요. 버리고 그럴 사람은 절대로 아니지요. 근데, 어느 날 멍하니 있더라고요. 나를 보더니 손을 슬그머니 감추는 거예요. 빈 손가락을 손을 계속 감추려니 더는 아무것도 못 하죠. 아픈 마음을 어쩝니까.

그러게요. 뭔가 내면의 균형이 깨지면 그게. 그나저나 유 원장이 힘들어서 어쩐답니까.

아아뇨, 제 인생인걸요.

하얀 가운의 두 의사가 마주 보고 서서 한숨을 쉰다. 다른 한 사람은 나가고 유 원장만 남는다. 닫힌 창문 너머로 반쯤 감은 눈길을 보내는 아내의 눈을 들여다본다.

어쩌면 비자발적 패배였을지도 몰라. 신부로서, 마치 신입사원들처럼 뭔가 잘못해서 질책을 당할까 하는. 어려서도 씩씩한 데는 없었거든. 하지만 신부의 침대가 프로크라테스의 침대가 아닐진대 왜 그리 겁을 먹었을까. 긴 세월 동안 누그러지지도 않고. 어떻게 더 안심을 주나. 왜 한 발짝도 다가오지 않고 뒤로 뒤로만 물러설까. 밖으로 나오는 건 시늉뿐이었어. 오히려 자발적? 설마 자발적 패배?

창문을 가려 놓은 입원실 밖에는 아직 따뜻한 햇살이 낙엽을 신고 살랑거리고 있다. 두툼한 은목서 잎들도 말라 떨어질 때는 가벼운 모양이다. 이름이 무슨 소용, 금목서일지도 모른다. 모양을 다듬는다고 사람들이 톱질을 해 대지만 않는다면 나무들은 더 오래 서 있을 것이다, 살아서. 톱질에 수관들이 잘려 나갈 때, 뿌리들도 함께 오므라드는 것을 사람들은 모른다. 그래도 빛을 좋아하는 벚나무를 하필 잎 넓고 키 큰 너도밤나무 밑에 심지는 않는다. 하기야 너도밤나무는 병원의 뜰이 아닌, 책 속에나 있다.

마른 잎들은 제 위에 앉아서 사랑의 알들을 낳고 새끼들을 키워 날아간 새들을 기억하고 있을까. 너무도 흔하고 너무도 시끄러운 직박구리 같은 새들을 기억하는 나뭇잎은 없을지도 모른다. 하물며 너무도 시끄러운 새들 소리에 섞인 짧은 청혼의 말을 기억하는 잎들은 결코 없을 것이다. 행여 기억한대도, 떨어진 잎들이 밟히고 으스러져 먼지가 되면 기억들도 먼지가 되어 흩어질 것이다. 아마도, 아니 어김없이, 남는 것은 없다.

갈라지는 숨결들

한영인_ 문학평론가

1. 수렴과 발산

서용좌의 『숨』은 소설에 대한 전통적인 이해를 가진 사람에게는 다소간 당혹스럽게 다가오는 작품이다. 소설의 시작과 동시에 작중 인물이자 화자가 전면에 나서 독자에게 직접 인사를 건네는 첫 장면도 그렇거니와 이후의 전개도 독자의 예상을 배반하기는 마찬가지다. 이 작품은 방금 위에서 언급한 '인사'를 '작가의 말' 대신 내놓고 실제 이야기는 총 열 장으로 구성되어 있는데, 각각의 챕터는 하나의 유기적인 서사를 엮어 내는 기능을 담당하기보다 그때그때 우발적으로 마주친 사람이나 사건, 상념을 서술하는데 초점이 맞춰져 있다. 그래서 언뜻 이 작품에는 우리가 흔히 장편소설을 읽을 때 기대하는 입체적 내면을 지닌 다양한 인물들과 그 인물들이 세계와 교감하고 때론 충돌하며 빚어내는 스펙터클

한 서사가 부재해 보이기도 한다.

그렇지만 이 작품도 엄연한 소설이기에 작품을 이끌어 가는 중심축을 가지고 있다. 인물의 측면에서는 화자이자 주인공인 '나남이'이며 사건의 측면에서는 대학 시절 청각 장애를 앓던 선배의 청혼을 거절한 데서 발생한 심리적 외상이라고 할 수 있다. 이 소설은 나남이로부터 발산하는 다양한 이야기들이 대학 시절 짧게 만나던 – 요즘 말로 하면 '썸을 타던' – 선배의 청혼을 거절한 순간의 기억으로 끊임없이 수렴되는 양상을 띤다. 또한 나남이가 일인칭 시점으로 자신의 내면에 떠오른 상념들과 세계에서 일어나는 갖가지 사건들에 대한 자신의 반응을 발산적으로 서술하는 구조를 띠고 있지만 그 상념은 항상 나남이 주변 인물들과의 만남과 대화로부터 촉발된다. 그런 면에서 주인공 나남이는 주변 친구들을 포함하는 세계에 닫힌 듯 열려 있으며 열린 듯 닫혀 있는 인물이라고 할 수 있다.

이러한 이중성 – 닫힌 듯 열려 있으며 열린 듯 닫혀 있는 – 은 그녀가 지닌 독특한 질병을 자연스럽게 떠올리게 만든다. 그녀는 이비인후과 의사인 남편도 어찌할 수 없는 독특한 청각 장애를 앓고 있는데 그 병으로 인해 그녀는 가까운 소리는 잘 듣지 못하지만 먼 곳에서 오는 소리는 들을 수 있다("내 레이더는 원거리 소리 청취에 민감하다. 근시와 원시가 있는 것처럼 내 귀는 먼 데 소리를 더 잘 듣는다." 31쪽.). 이러한 그녀의 증상은 단지 물리적 공간에 국한되는 것이 아니다. 그녀는 지금 그녀에게 가까운 현재의 소리 – 가령 남편의 말 – 에는 둔감하지만 먼 과거의 소리 – 선배가 청혼할 때 했던 말 혹은 그때 들었던 새소리 – 에는 민감하게 반응한다.

앞서 언급했듯 이 소설의 진행을 촉발하는 나남이의 상념은 주변 친구들과의 만남과 대화에서 비롯된다. 나남이와 그녀의 친구들 – 미선, 정인, 성주 – 은 모두 1958년 개띠로 베이비부머 세대에 속한다. 소설이 본격적으로 시작되는 「봄」에는 1958년생 베이비부머 세대가 공유하는 치열했던 경쟁담이 등장한다. 이들은 거의 100만에 가까운 동갑내기들과 치열한 경쟁을 벌이며 때로는 탈락의 쓴물을 마시고 때로는 동병상련의 아픔을 나눈 세대들이다. 말하자면 1958년은 엄청난 수의 새로운 생명이 발산하듯 탄생했고 그들은 지금 인생의 절정을 지나 소멸에 가까운 길로 수렴해 가고 있는 것이다. 하루의 일기에 빗댄다면 석양에 가까울 오늘의 시간은 그래서 나남이로 하여금 거듭 과거의 회한에 불쑥 사로잡히게 만든다.

2. 사랑과 죄의식

나랑 결혼해, 괜찮겠지? 그렇게 가까운 소리를 흘려들으면서 나는 나무 위 새소리를 듣고 있었다. 괜찮겠지? 너 나랑 결혼하자고! 난 정말 못 들었다. 숨이 막혀서, 오싹하게 막혀서, 나무 아래 함께 서 있었던 선배의 목소리는 잘 못 들었다. 하늘을 향해 내지르던 새소리만을 기억한다. 나뭇가지 꼭대기, 먼 데 새소리만 들었다. 새의 모습도 기억한다. 모양은 참새지만 훨씬 큰 새. 울음소리가 너무 큰 새. 울음이 아니라 말소리였겠지. 무슨 말이었을까? 청혼이었을까? (32쪽)

나는 진달래며 봄까치꽃을 보면 살그머니 가슴이 아프다. 나랑 결혼해, 괜찮겠지? 나중에 선배가 정작 그렇게 말했을 때, 나는 그 말을 듣지 못했다. 나뭇가지 꼭대기, 먼 데 새소리만 들었다. 새소리를 따라 하늘만 쳐다보았다. 놀라서, 부끄러워서, 대답을 몰라서 그냥 못 들었다. 숨이, 숨이 막혀서 아무것도 듣지 못했다. 그것이 끝이었다. 남아, 나랑 결혼하자고! 선배는 더는 그렇게 말하지 않았다. 말할 시간도 없었다. 나는 그저 슬슬 피해 다녔다. 새의 모습도 기억하지만 무슨 소용인가. 모양은 참새지만 훨씬 큰 새. 그땐 몰랐지만 이젠 이름도 안다. 직박구리. 울음소리가 너무 큰 새. 울음이 아니라 말소리였겠지. 무슨 말이었을까? 청혼이었을까? 그놈들은 지금도 그런 찌익 찌익 소리를 내며 아파트 하늘을 누빈다. 직박구리 울음소리는 내 가슴을 아프게 한다. (94쪽)

인용한 두 대목은 나남이가 선배의 청혼을 거절했던 당시의 일을 회상하는 장면인데 거의 비슷한 내용으로 구성되어 있다. 비슷한 장면은 소설 내내 여러 차례 반복되는데 이렇듯 동일한 장면이 거듭 반복된다는 것은 이 일화가 인물에게 일종의 강박적인 증상으로 기능하고 있음을 의미한다. 선배의 청혼을 거절한 일이 그녀에게 왜 이렇듯 커다란 심리적 외상을 남긴 걸까. 과거의 기억이 파편적으로 반추되고 있는 이 소설에서 선배에 대한 친절한 정보를 찾는 건 쉽지 않은 일이지만 몇 안 되는 단서를 통해 독자가 유추할 수 있는 것은 대략 다음과 같다. 생물학과 복학생이었던 그 선배는 군대에서 사격훈련을 받던 중 청력 장애를 입게 되어서 타인의 말을 잘 알아듣지 못하는 사람이라는 것. 그렇지만 그 외의 경제적 상황이나 집안 형편, 미래에의 전망에 대해서는 거의 알려진 것이 없다.

처음에 그녀에게 선배의 청력 장애가 큰 문제가 되지 않았음은 다음의 문장에서 확인된다. "나는 곧잘 그의 청력 장애에 적응했다. 적응이라기보다는 내가 처음 보았을 때부터 이미 장애였다. 어쩌면 나는 그 장애를 즐기기조차 했다. 혼자 중얼거리기 좋아하는 내게 편하기도 했다. 누군가에게 말하고 싶기도, 말하고 싶지 않기도 한 이야기들. 나 혼자서 하는 둥 마는 둥 지껄여도 선배는 크게 궁금해 하지 않았다. 내용은 잘 몰라도 뭔가 조잘거린다는 것을 몰랐을 리 없어도 묻지는 않았다. … 선배는 내게 고마운 사람이었다."(132~133쪽). 하지만 그와 같은 고마움과 편안함이 장애와 더불어 평생 함께 살아가는 일을 기꺼이 수락하는 마음으로 이어지는 것은 아니다. 자신 역시 청력에 문제가 있었던 나남이에게 선배의 청력 장애는 도망치고 싶은 미래의 부담으로 느껴지기에 충분했던 것이다. 이는 나남이가 "장애는 열등"이며 "누군가에게 짐이 되는 건 곤란"(46쪽)하다고 생각한다는 데에서도 드러난다. 물론 이 말은 남이 아닌 자기 자신을 향하는 말이지만 그녀가 자신의 미래를 장애를 가진 선배와 함께 꾸려 가는 일에 덜컥 겁을 먹은 것만은 부인할 수 없다.

나남이는 "용기 없음을 느끼지도 못했다."(133쪽)고 말할 정도로 일상에서 쉽게 움츠러들고 겁이 많은 인물로 표상된다. 하지만 우리도 알다시피 무언가 앞에서 겁을 먹고 도망간 기억은 평생에 걸쳐 심한 자책과 부끄러움을 남긴다. 자신을 두렵게 만드는 대상 앞에서 변변한 저항조차 하지 못하고 무기력하게 도망갔다는 기억은 모종의 수치심과 연계되기 때문이다. 나남이가 자신에게 느끼는 자책, 부끄러움, 수치심의 근저에는 장애를 핑계로 사랑하는 사람을 버리고 도망가 버렸다는, 자신의 무기력하고 비겁했던 과거에 대한 응시가 자리 잡고 있는 것이다.

그 죄책감은 앞서 인용문의 모순과도 연결된다. 그녀는 분명 선배의 청혼을 듣지 못했다고 여러 차례 반복해서 강조하고 있다. 그녀는 그때 선배의 말 대신 먼 데서 나는 새의 소리만 듣고 있었다. 그런데 어떻게 그녀는 지금, 그때 선배의 말이 분명한 청혼이었다는 것을 확신할 수 있을까? 아마 그녀는 선배의 정확한 말을 '듣지' 못했을 것이다. 하지만 분명 느꼈을 것이다. 그의 어조와 표정, 이후의 태도를 미루어 그 말이 청혼의 언어였음을. "애초에 언어라는 것이 마음을 나타내는 도구가 아니라는 생각"(26쪽)이라는 말에서 미루어 보아 나남이의 통찰은 어쩌면 이 모순을 통과한 사람만이 생생한 질감으로 지닐 수 있는 것인지도 모른다.

한편 소설 속에서 그녀의 '배신'은 친구 미선이 겪었던 아픔과도 맞닿는다. 미선은 나남이의 다른 친구들과 달리 비혼 여성으로, 비록 정교수는 아니지만 대학에 자리를 잡고 학생들을 가르치는 일을 하고 있다. 비혼 여성으로서 가부장제적 가족 질서에 편입되지 않고 친구들 중에서는 가장 가방끈이 길기에 일견 자유로워 보이는 그녀는 사실 사랑에 있어 아픈 상처를 지니고 있다. 학창 시절 물심양면으로 뒷바라지했던 고시생 남자 친구가 사법시험에 합격하자마자 헌신했던 여자 친구를 버리는, 통속극의 소재에 쓰일 법한 전형적인 배신 행위를 저질렀기 때문이었다. 나남이는 그 남자 친구의 배신과 자신의 도망침을 무의식중에 겹쳐 놓으며 거듭 회한에 빠진다.

3. 합리적 이성의 한계

나남이가 미선의 옛 남자의 배신 행위를 근대 이성주의의 한계와 결부시키는 「편지, 메피스토에게」 장은 이 소설에서 가장 흥미로운 부분 중 하나이다. 메피스토는 알다시피 괴테의 『파우스트』에 등장하는 유혹자 메피스토펠레스이다. 그녀는 "인간은 신이 짐승들보다 우월하게 만들어 준 이성을 사용한답시고 외려 짐승보다 더 짐승같이 되었다"(57쪽)는 미선의 말을 듣고 불현듯 메피스토에게 편지를 쓴다. 나남이는 합리적 이성이 철저한 계산과 등치되어 버린 현실에서 아찔함을 느끼며 오늘날을 지배하고 있는 이성물신주의에 비판적으로 접근한다.

> 보세요. 다만 이성이 확고부동한 인간이라야 '지상의 신'이라고 불릴 가치가 있다는군요. 우연을 조종하지 못하는 인간은 비이성적인 저능한 인간이다. 뭐 그런. 그러니까 도파 씨가 빛나는 기회를 잡은 것 또한 이성적인 행동이고, 그러므로 가히 '작은 신'다운 인간으로서의 선택이다. 사랑 따위 어설픈 감성의 세계에 머물러 최적의 기회를 놓치는 것은 동물적 본능의 세계이고. 또 사전적 정의를 봐도 '이성이란 사물을 옳게 판단하고 진위와 선악 또는 미추를 식별하는 능력'이잖아요. 그러면 이성은 무조건적으로 긍정의 영역에 존재해야 맞지요. (70~71쪽)

인용한 대목에 이어 그녀는 미선의 옛 남자 친구의 배신 역시 이성적이고 합리적인 판단의 결과라면 우리가 그와 같은 계산적 합리성의 경계를 어디에 어떻게 그을 수 있겠느냐고 되묻는다. "이익을 추구하는 계산의 영악함과는 경계가 필요하다. 그럼 그 경계는? 그 경계를 어떻게 알 수 있나요?"(71쪽) 이 질문은 앙드레 콩트–스퐁빌이 제기했던 유명한 질문 – "자본주의는 윤리적인가?" – 을 떠올리게 한다. 거기서 앙드레 콩트–스퐁빌은 현실의 경계를 ① 기술–과학적 차원 ② 법–정치적 차원 ③ 윤리의 차원 ④ 가치의 차원이라는 네 가지로 구분한다.[*] 여기서 나남이가 비판적으로 접근하는 "합리적 이성"(77쪽)은 경제학을 포함하는 기술–과학적 차원을 가리킨다. 앙드레 콩트–스퐁빌은 이러한 기술–과학적 차원을 지배하는 차가운 객관적 합리성은 윤리와 가치의 차원에 의해 경계 지어져야 한다고 말한다. 이때 앙드레 콩트–스퐁빌이 대표적인 가치의 차원으로 예를 드는 것이 사랑이라는 점은 이 소설과 관련해서 많은 시사점을 준다. 그것은 차가운 이성의 전제적 지배에 저항할 거점이 사랑이라는 점을 일러 주기 때문이다. 하지만 미선은 그 사랑에 배신당했고 나남이는 그 사랑을 배신했다. 이 배신은 우리를 허무주의자로 만든다. 어쩌면 이 소설 속에서 자주 무상함과 무기력에 빠지는 나남이의 모습은 그와 같은 배신이 낳은 허무주의자의 흔적인지도 모른다.

한편 이 소설에서 계산적 이성이 낳은 아픔은 단지 개인적인 차원에 국한되지 않는다. 한국 현대사의 비극인 광주민주화운동 역시 그와 같은 계산과 타산으로부터 자유로울 수 없었던 것이다.

내 귀엔 지금도 이 모든 소리가 들려요. 상상이라고요? 어

---

[*] 각 차원에 대한 구체적인 설명으로는 앙드레 콩트–스퐁빌의 『자본주의는 윤리적인가?』(이현웅 옮김, 생각의 나무, 2012 참조.)

데! 뇌세포 어딘가에 저장되어 있다가 튀어나오죠. 그런데 서
울역에서의 후퇴 결정은 합리적 이성에 따랐던 게 맞나요? 공
포 또는 비겁의 산물이었나요? 잠정적인 소강상태 후 사흘 뒤
산발적으로 봉기하자! 약속은 약속이지만, 산발적 봉기 약속
을 깬 다른 지역은 결과적으로 이성적이었나요? 약속은 약속
이다, 약속을 지켰던 이곳 학생들은 어딘가 부족해도 한참 부
족한 비이성적 하등인간들이었나요? 다가오는 극한 위험을
모른 채 행렬에 나선 그들, 사라져 간 그들, 함께 스러져 간
광주 사람들. (77~78쪽)

이른바 '서울역 회군'은 당시 학생운동권의 주요 인사들이 치
열한 토론 끝에 내린 결정이었다. 저마다의 '논리'와 '당위'가 팽팽
하게 부딪혔을 것이고 그 과정에서 비록 모두를 만족시킬 수는 없
지만 가장 합당한 방안을 채택했다고 생각했을 것이다. 소설 속
그녀의 힐난처럼 그 결정은 합리적 이성에 빚지고 있었지만 동시
에 모종의 비겁함을 이성 뒤에 숨기고 있었는지도 모른다. 말하자
면 이성은 비겁함의 알리바이로 작동하기도 하는 것이다. '서울역
회군'과 광주의 비극 사이의 연관성에 내재한 합리적 이성의 존재
를 집요하게 캐묻는 이 대목은 작가가 삶을 이성적이고 논리적인
과정이 아니라 다양한 우연적 계기들이 파편적으로 접합되어 진
행 방향을 특정할 수 없게 이어지는 우발적인 과정으로 본다는 점
을 의미하며 그와 같은 관점은 이 소설의 구성과도 밀접하게 관련

된다.

관련해 이 장의 시작에 남편의 잔소리가 위치한다는 점도 주목할 부분이다. 오빠의 친구이자 이비인후과 의사인 남편은 겉으로 보기엔 평범한 부부 관계를 유지하는 것 같아 보이지만 속을 들여다보면 둘 사이에는 어떤 심리적 장벽이 놓여져 있다. 이 장벽은 남편 쪽에서 쌓은 것이라기보다는 나남이 편에서 쌓은 것에 가깝지만 그녀 입장에서 보자면 그럴 이유가 없지는 않다. 「발자국」에 등장하는 에피소드에서 그 일단을 짐작할 수 있거니와 아내의 기분을 '멜라토닌'이나 '세르토닌' 같은 신경전달물질로 환원시키는 남편의 태도는 '이성중심주의'를 대표하는 것으로 읽을 수 있다. 아닌 게 아니라 나남이는 남편과 자주 소통 중지의 상황에 맞닥뜨리는데 이는 단지 가까운 소리를 잘 듣지 못하고 엉뚱한 상념에 잘 빠지는 나남이의 특성 때문만은 아닌 것이다.

한편 합리적 이성이 물 샐 틈 없는 견고한 건축물을 연상시킨다면 누수는 그런 이성의 성채에 난 균열의 증거가 된다. 「누수」는 이 점을 역력히 드러낸다. 오래된 아파트 베란다에 물이 새서 아랫집에 피해를 주는 장면에서 시작된 이 장은 불쑥 과거로 내달려 억압된 기억에 가닿는다. "누수, 누수가 두려웠었다. 그것은 내 인생에서 무엇인가가 새어 나갈 것에 대한 두려움이었다. 선배가 청각 장애라서, 그것이 전부는 아니었다. 그가 속해 있을, 그에게 묻어 있을 어떤 것들이 두려웠다. 나로서는 알 수 없는 부분."(146쪽) 정신분석의 용어를 빌린다면 합리적 이성은 자아−에

고의 영역이고 억압된 것은 무의식—이드에 봉인된다고 할 수 있다. 그렇다면 누수는 억압된 것들이 귀환하는 사태를 지시하는 것일 테다. 이 지점에서 드러나는 것은 "그에게 묻어 있을 어떤 것"이라는 표현이다. 선배의 청혼을 모른 척한 장면은 여러 차례 반복되지만 구체적으로 그녀가 왜 선배를 거절했는지에 대한 이유는 명료하게 등장하지 않는다. 독자로서는 청각 장애 때문이겠거니 짐작할 뿐인데 이 대목에 이르면 단지 그 이유 때문만이 아니라는 점이 드러난다. 물론 "그에게 묻어 있을 어떤 것"이 정확히 무엇을 의미하는지는 알 수 없지만 아마 그의 남루에서 이끌어 낼 수 있었던 미래의 모든 전망 같은 것이 아니었을까. "그에게 묻어 있을 어떤 것"이라는 모호한 표현에서 알 수 있듯 나남이가 선배를 버린 이유는 여전히 그녀의 내면에서도 정직하게 응시되지 않은 채 남아 있다. 하지만 그녀는 이따금 무의식의 균열에 따른 누수를 통해 그것을 외로 꺾은 고개를 한 채 마주 본다.

4. 삶이라는 모순

「모순」역시 나남이가 삶을 바라보는 특유의 관점을 선명하게 드러내고 있는 장이라는 점에서 주목할 만하다. 여기서 그녀는 인간의 삶이 필연적으로 맞닥뜨릴 수밖에 없는 존재론적 모순에 대해 파고든다. 다음과 같은 조금은 어지러운 말들은 그녀가 파악하고자 하는 모순의 복잡한 성격을 잘 보여 준다.

> 이런 나를 가리켜 모순적이라는 말을 그이가 하고 싶었을
> 까? 한 사람이 다른 두 생각을 하는 일이 이상하단 말인가?
> 한 사람이 평생 일관적일 수는 없지. 아니, 평생 그렇기는 어
> 렵겠지만 한순간에 이리저리 흩어지는 것이 문제지. 그렇다고
> 내가 모순적인 사람은 아니다. 그렇게 생각한다. 나는 모순적
> 인 사람이 아니다. – 이 말은 참인가? '무모순적인 사람임'이
> 증명되기 위해서는 '모순적인 사람임'이 부정되어야 한다. 어
> 떻게? 수학이라면 귀류법이라도 들이대지. (216~217쪽)

사람은 누구나 말과 행동이 최대한 일치되는 정합적인 삶을 꿈
꾸지만 현실은 그런 행복한 일치를 결코 허락하지 않는다. 그 모
순은 한 개인의 삶뿐만 아니라 사회 시스템 곳곳에 어찌할 수 없
는 거대한 난점으로 스며들어 있다. 가령 여기에 등장하는 풍년에
웃을 수 없는 농민이나 최저임금 상승에 울상을 짓는 영세 고용주
에 대한 이야기는 삶이 단순한 선의나 계산으로 굴러가지 않는 복
잡한 총체임을 상기시킨다.

하지만 그 모순이 개인의 책임을 앗아 가는 알리바이로 작용
한다면 윤리는 발생하지 않을 것이다. 비록 벗어날 수 없는 모순
과 부조리 속에 거하면서도 자신의 책임을 스스로 만들어 내는
곡진한 마음에서 윤리가 그 기원을 정초한다고 할 때, "메아 꿀

빠"(248쪽) – mea culpa. '내 탓이오'라는 뜻의 라틴어 – 라고 말하며 사랑의 부족함을 자책하는 그녀의 태도는 독자로 하여금 그동안 그녀가 남몰래 간직해 왔던 아픔과 미안함, 죄책감의 크기를 일순에 가늠케 한다. 그 신산한 삶이 남긴 마음의 공백은 "떨어진 잎들이 밟히고 으스러져 먼지가 되면 기억들도 먼지가 되어 흩어질 것이다. 아마도, 아니 어김없이. 남는 것은 없다."라는 허무주의를 산출하는 것처럼 보이지만 사실 이 '남는 것은 없다'는 말은 그녀가 이 세상을 살아갈 수 있게 만들어 주는 주문인지도 모른다.

이렇듯 삶이 끝내 먼지가 된 낙엽처럼 아무것도 남기지 않는 투명한 무(無)일 뿐이라면, 우리는 조금 더 가볍게, 반쯤은 허공에 발을 디딘 채 얼마 남지 않은 생을 두려움 없이 살아갈 수 있지 않을까. 여러 모순들 틈새로 갈라지는 숨결을 아리아드네의 실처럼 고요히 손에 쥔 채 말이다.

숨 서용좌 장편소설

초판1쇄 찍은 날 | 2020년 11월 11일
초판1쇄 펴낸 날 | 2020년 11월 16일

지은이 | 서용좌
펴낸이 | 송광룡
펴낸곳 | 문학들
등록 | 2005년 8월 24일 제 2005 1-2호
주소 | 61489 광주광역시 동구 천변우로 487(학동) 2층
전화 | 062-651-6968
팩스 | 062-651-9690
전자우편 | munhakdle@hanmail.net
블로그 | blog.naver.com/munhakdlesimmian
값 15,000원

ISBN 979-11-86530-98-6 03810